국민대학교 문화교차연구소
성리학의 감정과학 연구총서 1

주돈이 태극도설의 감정과학

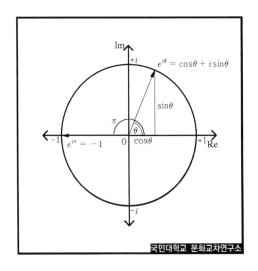

국민대학교 문화교차연구소
성리학의 감정과학 연구총서 1

주돈이 태극도설의 감정과학

발 행 | 2024년 00월 00일
저 자 | 성동권
펴낸이 | 한건희
펴낸곳 | 주식회사 부크크
출판사등록 | 2014.07.15.(제2014-16호)
주 소 | 서울특별시 금천구 가산디지털1로 119 SK트윈타워 A동 305호
전 화 | 1670-8316
이메일 | info@bookk.co.kr

ISBN | 979-11-410-0000-0

www.bookk.co.kr

국민대학교 문화교차연구소
성리학의 감정과학 연구총서 1

주돈이 태극도설의 감정과학

성동권

국민대학교 문화교차연구소
성리학의 감정과학 연구총서 1

「 주돈이 태극도설의 감정과학 」

목 차

제1부 **太極圖**의 장르분석
태 극 도

제3부 太極圖說의 後驗分析
태극도설 후험분석

서문

국민대학교 문화교차연구소의 '연구총서 시리즈'《성리학의 감정과학》은 중국 남송(南宋) 시대의 철학자 주자(朱子, 1130~1200)에 의해서 학문론으로 정립된 '성리학'(性理學)을 '감정과학'(Science of Feelings)으로 연구합니다. '감정과학'은 감정의 현상을 선악(善惡)으로 해석하고, 이후 '악'(惡)으로 지목된 감정을 조절하거나 제어함으로써 이상적인 '선'(善)의 경지로 도달하게 하는 '목적론적 윤리학'이 아닙니다. 무한한 방식으로 무한한 감정의 현상에 나아가 그 각각에 고유한 본성의 필연성을 인식함으로써 모든 감정이 영원의 필연성 안에서 순수지선으로 존재하고 있다는 사실을 확인하는 학문론이 '감정과학'입니다.

'성리학'의 본질을 '감정과학'으로 규명하는 것은 현대적 '재해석'이 아닙니다. 주자의 성리학을 충실히 계승함으로써 그 본질을 명확하게 밝힌 조선 시대 성리학자 퇴계 이황(退溪 李滉, 1501~1570)의 작품인 『성학십도』(聖學十圖)에 근거하면, 성리학은 감정의 본성을 이해함으로써 감정의 순수지선을 이해하는 '감정과학'입니다. 퇴계 선생님은 『성학십도』(聖學十圖)의 「제6도 심통성정도(心統性情圖)」의 '중도'(中圖: 두 번째 그림)와 '하도'(下圖: 세 번째 그림)에서 성리학(性理學)의 핵심을 다음과 같이 요약했습니다.

其中圖者, 就氣稟中指出本然之性不雜乎氣稟而爲言。了思所謂天命之性。孟子所謂性善之性。程子所謂卽理之性。張子所謂天地之性。是也。其言性旣如此。故其發而爲情。亦皆指其善者而言。如子思所謂中節之情。孟子所謂四端之情。程子所謂何得以不善名之之情。朱子所謂從性中流出。元無不善之情。是也。其下圖者。以理與氣合而言之。孔子所謂相近之性。程子所謂性卽氣氣卽性之性。張子所謂氣質之性。朱子所謂雖在氣中。氣自氣性自性。不相夾雜之性。是也。其言性旣如此。故其發而爲情。亦以理氣之相須或相害處言。如四端之情。理發而氣隨之。自純善無惡。必理發未遂。而掩於氣。然後流爲不善。七者之情。氣發而理乘之。亦無有不善。若氣發不中。而滅其理。則放而爲惡也。夫如是。故程夫子之言曰。論性不論氣不備。論氣不論性不明。二之則不是。然則孟子，子思所以只指理言者。非不備也。以其幷氣而言。則無以見性之本善故爾。此中圖之意也。

위에 제시된 원문의 뜻을 번역하면 다음과 같습니다. (원문에 대한 직역이 아니라 원문이 품고 있는 뜻을 번역하면 아래와 같습니다.)

우리가 우리 자신의 몸에 나아가 몸 그 자체의 본성인 '성리'(性理: 子思所謂天命之性。孟子所謂性善之性。程子所謂卽理之性。張子所謂天地之性。)를 명백하게 인식하면, 이로부터 우리는 몸이 느끼는 감정 그 자체의 본성인 '정리'(情理: 子思所謂中節之情。孟子所謂四端之情。程子所謂何得以不善名之之情。朱子所謂從性中流出。元無不善之情。)를 영원의 필연성으로 인식하게 됩니다.

이 인식 덕분에 우리는 감정의 무한 양태인 정기(情氣)를 감각적 현상에 의존하여 그것의 선악(善惡)과 시비(是非)를 판단하는 인식의 오류에 빠지지 않게 됩니다. 감정의 무한 양태인 정기(情氣)는 본래부터 자기 안에 정리(情理)를 품고 있다는 사실이 성리(性理)에 의해서 진리의 필연성으로 분명합니다. "如四端之情。理發而氣隨之。自純善無惡。"의 뜻입니다.

그러므로 우리가 이 사실을 이해하고 믿는 한에서 우리는 정기(情氣)에 나아가 정리(情理)를 명명백백하게 인식해야 합니다. 그 결과 우리는 무한한 방식으로 무한하게 존재하는 정기(情氣)가 단 하나의 예외 없이 본래부터 최고의 완전성 안에서 순수지선으로 존재한다는 사실을 명석하고 판명하게 이해하게 됩니다. "然則孟子, 子思所以只指理言者。非不備也。以其幷氣而言。則無以見性之本善故爾。此中圖之意也。"의 뜻입니다.

합리기(合理氣)의 성(性: 몸)에 나아가 '성리'(性理: 몸 그 자체의 본성)를 명확히 인식하는 것이 매우 중요합니다. 이 인식에 기초하여 몸이 느끼는 감정으로 살아간다는 사실을 간단한 공리(公理)로 요약한 '성발위정'(性發爲情)에 근거하여 분석하면, 정(情)도 당연히 합리기(合理氣)로 존재한다는 사실이 연역됩니다. 감정에도 리(理)가 존재한다는 사실이 분명하므로 합리기(合理氣)의 정(情)에 나아가 정리(情理)를 명확하게 인식할 수 있는 기초가 확립됩니다. 이 기초 위에서 무한한 감정을 배울 때 우리는 모든 감정이 본래부터 순수지선으로 존재하고 있다는 사실을 이해할 수 있습니다. 이 이해로부터 우리는 감정을 느끼며 살아가는 모든 것이 본래부터 순수지선의 축복 속에 존재하고 있다는 사실을 확인할 수 있습니다.

우리는 매순간 감정으로 존재하며 감정으로 살아갑니다. 이 자명한 사실에 근거하여 우리는 자신의 행복을 위해서 반드시 감정 그 자체의 진실을 묻고 배워야 합니다. 감정을 이해하는 것이 곧 우리 자신을 이해하는 것입니다. 더 나아가 세상 모든 사람과 자연의 모든 것을 이해하는 방법이 그들 각각에 고유한 감정을 이해하는 것입니다. 퇴계가 주자의 성리학 덕분에 깨닫게 된 진리입니다. 퇴계 선생님에 의하면 '성리학'은 필연적으로 '감정과학'입니다. 이 사실을 증명하기 위하여 선생님은 「제6도 심통성정도」에서 선진(先秦) 시대

의 '공맹'(孔孟)으로부터 남송(南宋) 시대의 주자(朱子)에 이르는 '유교
-성리학'의 역사를 감정과학의 역사로 다시 정리합니다.

　　퇴계 선생님의 주자 성리학에 대한 이해는 다음과 같이 요약됩니
다.

　　'성리'(性理)를 향한 배움(學)은 필연적으로 정리(情理)를 향한 배움(學)으
로 전개됩니다.

　　이러한 진리를 가르쳐주기 위하여 퇴계 선생님은 「제6도 심통성
정도」에서 '중도'와 '하도'를 그렸으며 그에 대한 설명을 간단명료하
게 제시했습니다. '성리학'(性理學)의 본질을 '정리학'(情理學)으로 규
명하는 퇴계 선생님의 '성학'(聖學)을 국민대학교 문화교차연구소는
'감정과학'으로 정의합니다. 국민대학교 '문화교차학과'와 이 학문을
전문적으로 탐구하는 기관인 '문화교차연구소'는 퇴계 선생님의 성학
(聖學)에 기초합니다.

　　그러나 매우 안타깝게도 퇴계 선생님의 『성학십도』이후 지금에
이르기까지 선생님이 제시한 성학(聖學)의 본뜻이 무엇인지 분명하게
연구되지 않았을 뿐만 아니라 성리학(性理學)의 본질이 감정과학으로
서 '정리학'(情理學)이라는 사실 또한 분명하게 정리되지 않았습니다.
이에 국민대학교 문화교차연구소는 성리학을 감정과학으로 증명하는
총서 시리즈 《성리학의 감정과학》을 세상에 내놓습니다. 문화교차연
구소의 새로운 총서 시리즈 《성리학의 감정과학》은 이 목적을 위해
구체적으로 『성리대전』에 수록된 작품들을 선별하여 감정과학으로
증명합니다.

『성리대전』은 중국의 송명 시대의 성리학(性理學)을 집대성한 책입니다. '성리'에 관련된 모든 저술들을 총망라한 것이 『성리대전』이므로 성리학의 본질을 '정리학'(情理學) 또는 '감정과학'(Science of Feelings)으로 규명하는 방법은 이 책에 수록된 저서들을 '감정과학의 논리'로 분석하는 것입니다. 이에 국민대학교 문화교차연구소는 성리학의 기초를 확립한 중국의 북송 시대 철학자 '주돈이'(周敦頤, 1017~1073)의 작품인 『태극도설』(太極圖說)을 시작으로 본 연구소의 총서 시리즈 《성리학의 감정과학》을 세상에 내 놓습니다. '감정과학의 논리'는 이어지는 「서문 2: 감정과학의 '성리학 장르' 분석」에서 논의합니다.

국민대학교 문화교차연구소장
성동권 올림.

성리학(性理學)

성리학(性理學)은 말 그대로 '성리'(性理)를 배우는 '학문'(學)입니다. 여기에서 다음과 같은 질문이 성립합니다.

'성리'(性理)는 무엇입니까?
'성'(性)은 무엇입니까? '리'(理)는 무엇입니까?

이 질문들에 대한 '감정과학'의 대답은 매우 간단합니다.

성리학(性理學)은 '몸의 생김'(性)에 고유한 '본성의 필연성'(理)을 배운다(學). 몸의 영원한 진실(性理)를 배우는 학문이 성리학이다.

우리는 '몸'으로 살아갑니다. 지금 우리 자신의 몸이 존재하지 않는다면, 그 어떤 것으로도 우리 자신의 존재를 확인할 수 없습니다. 이것은 우리 자신만의 진실이 아니라 자연 전체의 진실입니다. 자연의 모든 것은 자신의 몸으로 살아가며, 그렇게 존재하는 모든 몸은 자신과 무한히 다른 몸과 함께 무한한 방식으로 무한하게 교차하며 살아갑니다. 그렇기 때문에 무엇보다도 '몸'이 진실로 소중합니다. 몸을 절대로 함부로 해서는 안 됩니다. 성리학은 이 사실을 '경신'(敬

身)으로 요약합니다. 자기 스스로 자기 몸을 존경하고 고마워하는 것이 학문의 시작이자 끝입니다.

학문의 핵심은 지금 우리 자신의 몸입니다. 그런데 몸이 생겨나지 않으면 몸으로 살아간다는 것은 '절대적'으로 성립할 수 없습니다. 몸이 생겨나야 몸으로 살아갈 수 있습니다. 이로부터 '생김'이 '살아가기'에 앞선다는 사실은 자명합니다. 이 자명한 진리에 근거하여 우리는 몸에 대한 이해를 '생김'과 '놀이'로 나누어 이해할 수 있습니다. '놀이'는 생겨난 몸으로 살아가는 우리 자신의 이야기입니다. 이 이야기를 '경험' 또는 '후험'(後驗)이라 합니다. 한편, 우리 몸의 '생김'은 우리 자신의 몸으로 경험하는 '놀이'에 앞선 것이므로 이와 관련된 이야기를 '선험'(先驗)이라 합니다. '경험(驗)에 앞서서(先)'를 뜻합니다. 따라서 우리는 다음과 같이 개념을 정의할 수 있습니다.

① 몸-생김: 선험(先驗)
② 몸-놀이: 후험(後驗)

선험(先驗) X 후험(後驗)

생겨난 몸으로 살아가는 우리 자신의 이야기를 '몸-놀이' 또는 '후험'(後驗)으로 정의할 때, 그것의 진실은 무엇일까요? 이 물음에 대한 답은 당연히 몸으로 살아가는 우리의 삶에서 찾아야 합니다. 우리의 삶을 떠나서 답을 구할 수 있다는 생각은 터무니없는 것입니다. 왜냐하면 질문의 요지는 '후험'으로서 지금 우리 자신의 몸-놀이

가 품고 있는 실상이 무엇인지 묻는 것이기 때문입니다. 이 사실에 근거하여 우리 스스로 생각해 보면, 몸으로 살아간다는 것은 실질적으로 몸의 무한 변화를 경험하는 것입니다. 우리의 몸은 단 한 순간도 쉬지 않고 자기 스스로 무한히 변화하며, 동시에 무한히 변화하는 다른 몸과의 교차를 통해서도 무한하게 변화합니다.

다음으로 몸의 무한 변화에 나아가 그 모든 변화의 '순간'에 대해서 생각해 보면, 그것은 사실상 '감정'입니다. 예를 들어서 우리는 어느 순간 '배고픔'을 느끼기도 하며, 또 다른 어느 순간 '피곤함'을 느끼기도 합니다. 우리는 몸의 순간 변화를 '배고픔' 또는 '피곤함'이라는 감정으로 확인합니다. 친구와의 만남도 마찬가지입니다. 길을 걷다가 갑자기 친구를 만나면 우리 몸은 '기쁨'이라는 감정으로 순간 변화하며, 우리의 마음은 그 감정을 자각합니다. 이처럼 몸으로 살아가는 우리의 일상인 몸-놀이에 대해서 우리 스스로 생각해 보면, 몸-놀이의 실상은 몸의 무한 변화인 '감정'이라는 것을 알 수 있습니다. 따라서 몸-놀이의 후험(後驗)을 다음과 같이 보다 구체적으로 정의할 수 있습니다.

② 몸-놀이: 후험(後驗) = 감정(情)

위의 정의에 입각하여 몸-생김의 '선험'(先驗)에 대해서 생각해 봅시다. 몸-놀이에 앞서는 몸-생김의 진실은 무엇일까요? 이 질문에 대한 답을 우리 자신의 몸 밖에서 구할 수 있다고 생각한다면, 이 또한 터무니없는 착각입니다. 왜냐하면 지금 우리의 질문은 우리 자신의 몸-생김에 대한 것이기 때문입니다. 이 대목에서 우리 스스로 생각해야 합니다. 우리 자신의 몸은 어떻게 생겨난 것일까요? 이 물음에 대한 답은 어린이도 할 수 있습니다. 오히려 어린이가 더 쉽게 답할 수 있는 문제입니다. 무엇일까요? 정답은 '엄마아빠의 사랑'(정확히 말해서 'sex')입니다. 엄마아빠의 '사랑'이 아니면 '지금' 우리의 몸은 절대적으로 생겨날 수 없습니다.

영원의 필연성으로 지금 우리의 몸은 '엄마아빠의 사랑'으로 생겨납니다. 여기에는 그 어떤 우연성이나 가능성이 없습니다. 절대적인 영원의 필연성 안에서 엄마아빠의 사랑이 지금 우리의 몸을 생겨나게 했습니다. 그렇기 때문에 우리가 몸-생김의 실상을 지금 우리 자신의 몸으로 이해하는 한에서 몸-생김의 진실은 '엄마아빠의 사랑'입니다. 우리의 몸은 현상적으로 얼마든지 엄마의 몸 또는 아빠의 몸으로 존재하지 않을 수 있습니다. 세상에 부모가 되지 못한 사람은 여러 이유로 많습니다. 그러나 우리의 몸은 절대적으로 엄마아빠의 사랑으로 생겨납니다. 이 사랑(sex), 즉 '부모의 사랑' 없이 생겨난 자식의 몸은 절대적으로 존재하지 않습니다.

이상의 논의에 기초하여 몸-생김의 선험(先驗)을 다음과 같이 보다 구체적으로 정의할 수 있습니다. 앞에서 정의한 몸-놀이의 후험(後驗)과 함께 보겠습니다.

① 몸-생김: 선험(先驗) = 엄마아빠의 사랑(sex)
② 몸-놀이: 후험(後驗) = 감정(情)

몸-생김의 선험(先驗)에 고유한 진실로서 '엄마아빠의 사랑(sex)'을 성리학(性理學)은 '성'(性)으로 정의합니다. 왜냐하면 이 사랑이 지금 내 몸의 존재를 결정하는 단 하나의 영원한 필연성이기 때문입니다. 이 정의를 두고 현대 성리학을 연구하는 학자들이 수많은 반론을 제기할 수 있지만, 이 문제는 쉽게 해결됩니다. 다음에 제시하는 성리학(性理學)의 기본 공리(公理)로 논의를 시작하겠습니다.

성발위정(性發爲情)

정(情)은 성(性)과 절대적으로 떨어질 수 없습니다. 그리고 이 둘 사이에 있는 '발위'(發爲)에 근거하면 당연히 성(性)은 정(情)에 앞섭니다. 정(情)에 대한 정의는 앞에서 충분히 증명하였듯이 몸-놀이의 '후험'(後驗)입니다. 이로부터 성(性)에 대한 정의는 '성발위정'(性發爲情)에 근거하여 몸-놀이의 '후험'(後驗)에 앞서는 '선험'(先驗)으로서 '몸-생김'이라는 사실이 명백하게 연역됩니다. 몸이 생겨나지 않으면 몸으로 하는 놀이는 상상할 수 없기 때문에 이 연역은 자명한 진리입니다. 그런데 몸-생김의 진실은 이미 논한 바와 같이 '엄마아빠의 사랑(sex)'입니다. 따라서 성(性)을 엄마아빠의 사랑으로 이해하는 것은 기하학적 질서의 필연성에 의해서 진리의 필연성 그 자체입니다. 따라서 '성정'(性情)에 대한 다음과 같은 정의가 성립됩니다.

① 몸-생김: 선험(先驗) = 엄마아빠의 사랑(sex) = **성(性)**
② 몸-놀이: 후험(後驗) = **정(情)**

위의 정의를 다음과 같이 요약할 수 있습니다.

엄마아빠의 사랑(sex)에 의해서 생겨난 <u>나의 몸(性)</u>은 살아가면서 무한한 방식으로 변화하며, 그 무한 변화의 순간순간인 <u>감정(情)</u>의 무한으로 존재한다. 몸의 순간 변화를 우리가 감정으로 정의하는 한에서.

그런데 우리의 논의가 이 지점에 이르면, 뜻밖에 불같이 화를 내는 분들을 만나게 됩니다. 여기에는 크게 두 가지 곡절이 있습니다.

① **우리가 어린 시절 부모로부터 받은 정서적 또는 신체적 학대**
: 부모로부터 학대를 당한 자식들은 엄마아빠의 사랑에 대해서 극도의 거부감을 느끼게 됩니다.

② **출생의 비밀**
: 몸-생김의 본질로 존재하는 엄마아빠의 사랑을 둘러싼 이야기에는 수많은 소문과 사건이 있습니다. 가장 대표적으로 '금수저' '흙수저' 같은 '수저 계급론', 또는 차마 말할 수 없는 강간이나 고아 등과 같은 비극 한 가운데 엄마아빠의 이야기가 있습니다.

크게 위와 같은 두 가지 슬픔 속에 있는 자식들은 일반적으로 엄마아빠의 사랑에 대해서 극도의 거부감을 느끼게 됩니다. 이 주제는 매우 민감하고 그만큼 다루기 어려운 주제이지만, 그럼에도 불구하고 우리는 반드시 이 주제를 배워서 이해해야 합니다. 왜냐하면 몸-생김은 우리 자신의 몸을 이해하는 기초이며 동시에 행복의 기초이기 때문입니다. 이미 논의한 바와 같이 몸-놀이에 앞서는 것이 몸-생김입니다. 여기에는 엄마아빠의 사랑이 본질로 존재합니다. 이 사랑에 대한 우리의 이해가 최고의 완전성 내지는 순수지선의 아름다움이 아니라면 그 즉시 우리 몸의 생김은 불완전한 것이 됩니다. 이미 시작이 불완전이라면 몸-놀이 또한 불완전한 것입니다.

이 지점에 이르면, 몸으로 생겨나서 몸으로 살아가는 지금 우리 자신의 행복을 위한 가장 확실한 방법은 몸-생김의 진실로 존재하는 '엄마아빠의 사랑'(sex)에 대해서 타당한 인식을 형성하는 것이라는 결론이 나옵니다. 엄밀히 말해서 이 인식은 엄마아빠를 위한 것이 아니라 지금 '나' 자신의 행복을 위한 것입니다. 다시 강조하지만, 몸으로 생겨나 몸으로 살아가는 지금 '나' 자신의 행복을 위해서 엄마아빠의 사랑(sex)을 이해하는 것입니다. 몸으로 생겨나 몸으로 살아가는 지금 '나' 자신의 행복을 떠나서 엄마아빠의 사랑에 대해서 논의하지 않습니다. 이점이 매우 중요합니다.

선험(先驗): 성(性)

우리가 이 논점의 중요성을 이해하면, 앞에서 다룬 두 가지 문제는 뜻밖에 쉽게 해결됩니다. 자식들이 부모로부터 학대를 받았다고 할 때, 이것은 엄격히 말해서 '몸-놀이'의 사건입니다. 몸으로 살아가는 자식이 부모와의 '관계'에서 겪은 자신의 경험입니다. 그런데 '엄마아빠의 사랑(sex)'에 관하여 그 자체만을 두고 보면 이것은 몸-생김을 뜻합니다. '선험'(先驗)의 성(性)입니다. 몸-놀이의 '후험'(後驗)이 아닙니다. 그렇기 때문에 자식이 부모로부터 받은 상처로 인해 자기 몸의 생김에 있는 엄마아빠의 사랑을 부정하는 것은 사실상 선험(先驗)을 후험(後驗)으로 잘못 이해하는 것입니다. 이는 '뒤'(後驗)에 있는 것을 '앞'(先驗)에 두는 모순입니다.

몸의 생김과 놀이에 대한 정의를 다시 봅시다.

> ① 몸-생김: 선험(先驗) = 엄마아빠의 사랑(sex) = 성(性)
> ② 몸-놀이: 후험(後驗) = 정(情)

지금 우리가 논의하는 것은 몸-생김의 진실로 존재하는 엄마아빠의 사랑(sex)입니다. 이 사랑이 아니라면 그 어떤 자식의 몸도 생겨날 수 없습니다. 그렇기 때문에 부모로부터 받은 상처나 학대를 경험한 자식이 그것을 근거로 이 사랑을 부정한다면, 이것은 사실상 자기 스스로 자기 존재를 부정하는 것입니다. 이는 몸-놀이의 비극이 몸-생김의 비극으로 옮겨 가는 보다 더 큰 비극입니다. 이때 어떤 학문이 우리 스스로 몸-생김에 대한 타당한 인식을 확립함으로써 우리 몸의 생김과 놀이를 최고의 완전성과 행복으로 이해할 수 있다고 주장한다면, 한번은 이 학문에 대해서 경청할 필요가 있지 않을까요? 이 학문이 지금 우리가 공부하는 **'성리학의 감정과학'**입니다.

다음으로 출생의 비밀에 대해서 생각해 봅시다. 우리 스스로 차분히 생각해 보면, 이 문제도 앞에서 다룬 오류 안에 있습니다. 지금 우리가 논의하는 것은 몸-생김의 '선험'(先驗)으로써 엄마아빠의 사랑(sex)입니다. 가장 중요한 것은 지금 '나'의 몸-생김에 관하여 '선험'으로 존재하는 '엄마아빠의 사랑'입니다. 이 논점을 분명히 하고 위에서 제시한 정의를 보다 단순하게 하면 다음과 같습니다.

> ① 몸-생김 = **선험(先驗)** = **성(性)**
> ② 몸-놀이 = **후험(後驗)** = **정(情)**

지금 '나'의 몸-생김에 대한 이야기로서 '출생의 비밀'은 선험(先驗)의 성(性)이 맞습니다. 엄마아빠의 이야기이기 때문에 그렇습니다. 그러나 이 이야기는 엄밀히 말해서 나의 '경험'에 앞서는 또 다른 '경험'입니다. 나의 몸을 생기게 한 '엄마아빠'와 관련된 경험입니다. 예를 들어서 부유한 남자와 가난한 여자가 서로 만나서 사랑한 것이 지금 내 몸의 생김에 있는 이야기일 수 있고, 극단적으로 어떤 남자로부터 강간을 당한 여자가 지금 내 몸의 생김에 있는 이야기일 수 있습니다. 결국 '출생이 비밀' 등 지금 '나'의 몸과 관련된 생김의 이야기는 선험(先驗)의 성(性)에 있는 것 같지만, 그것의 실상은 후험(後驗/ 경험)에서 나오는 이야기입니다.

그런데 우리가 논의하는 것은 후험(後驗)에 앞서는 또 다른 후험(後驗)이 아닙니다. 후험(後驗)에 앞서는 선험(先驗)입니다. 우리의 생각에 여기에 이르면, 선험(先驗)에 대한 이해와 관련하여 두 가지 논점이 생성됩니다.

　① 선험(先驗)
　: 후험(後驗)에 앞서는 <u>후험(後驗)으로서 선험</u>

　② 선험(先驗)
　: 후험(後驗)에 앞서는 <u>선험(先驗) 그 자체로서 선험</u>

위 두 가지 선험(先驗) 중에서 어느 것이 진정한 '선험'일까요? 선험(先驗)은 말 그대로 '경험에 앞선'을 뜻합니다. 이때 선험을 챙긴다면서 어떤 경험에 앞선 또 다른 어떤 경험으로 '선험'을 이해하면,

그것은 어떤 후험에 대하여 단순히 그보다 공간과 시간 상 앞서는 또 다른 '후험'(後驗)입니다. 어떤 공간과 시간 속에서 사건 'A'가 발생했고 그로 인해 또 다른 어떤 공간과 시간 속에서 사건 'B'가 발생했을 때, 사건 'A'는 사건 'B'에게 선험이 분명합니다. 그러나 사건 'A'는 여전히 경험 속에 있습니다. 이러한 맥락에서 '출생의 비밀'은 공간과 시간 상 선험(先驗)일 뿐, 그것은 본질은 또 다른 경험 또는 후험(後驗)일 뿐입니다.

선험(先驗)과 후험(後驗)을 이와 같은 방식으로 이해하면, 결국 이 둘은 공간과 시간 안에서 이해됩니다. 어떤 사건 A와 B가 발생했을 때, 이 둘 사이에 어느 것이 공간과 시간 상 앞에 있고 뒤에 있는지를 확인하면, 그것으로 '선험'과 '후험'이 결정됩니다. 그런데 우리가 이러한 방식으로 '선험'을 이해하면, 우리는 오직 출생의 비밀만으로 몸-생김을 이해할 수밖에 없습니다. 여기에서 뜻하지 않은 비극이 발생합니다. 어떤 사람은 평생을 숨기고 싶은 출생의 비밀로 살아가지만, 반대로 어떤 사람은 자신의 출생을 둘러싼 좋은 조건과 환경으로 살아갑니다. 몸-생김의 비극이 몸-놀이의 비극으로 옮겨가는 보다 더 큰 비극이 발생합니다.

이상, 몸-생김의 선험(先驗)으로 존재하는 '엄마아빠의 사랑(sex)'을 이해함에 있어서 발생하는 대표적인 오류 두 가지를 살펴보았습니다. 감정과학이 이 이해를 '오류'로 명명하는 이유는 무엇보다도 선험(先驗)에 대한 이해를 후험(後驗)으로 시도하기 때문입니다. 이는 논리적으로 모순입니다. 선험은 선험 그 자체로 이해해야 합니다. 우리는 얼마든지 공간과 시간의 한계 안에서 감각적으로 지각되는 어떤 사건에 대한 경험을 선험(先驗)으로 이해할 수 있지만, 이는 '후험'일 뿐입니다. 선험(先驗)을 선험 그 자체로 이해하는 것이 선험에 대한 참다운 이해입니다. 이 이해를 형성하는 능력이 우리에게 본래부터 있기 때문에 선험을 '후험(後驗)에 앞서는 후험(後驗)으로서 선험'으로 이해하는 것은 오류입니다.

분석(分析) X 종합(綜合)

지금 우리의 논의에서 본질적으로 중요한 것은 몸-생김의 선험(先驗)을 엄마아빠의 사랑(sex)으로 정의할 때, 이 사랑에 대한 참다운 인식이 무엇인지 탐구하는 것입니다. 엄마아빠의 사랑(sex)를 공간과 시간의 한계 안에서 감각적으로 지각할 수 있는 사건으로 접근하면, 이것은 실질적으로 자식으로 존재하는 우리의 후험(後驗)에 앞선 엄마아빠의 후험(後驗)에 불과합니다. 이 경우 우리의 선험(先驗)은 사실상 엄마아빠의 후험(後驗)입니다. 결국 앞에서 언급한 바와 같이 선험과 후험을 공간과 시간의 선후로 구분하면, 선험과 후험은 실질적으로 후험으로 수렴됩니다. 이에 따라서 후험에 앞선 선험은 갑자기 후험의 존립 기초로서 '공간과 시간'으로 드러납니다. 공간과 시간이 없으면 '엄마아빠'와 '나'의 후험이 없습니다.

이 지점에서 우리는 전혀 예상하지 못한 결론에 도달합니다. 몸-생김의 선험(先驗)으로서 엄마아빠의 사랑(sex)을 이해하려는 우리의 노력은 수포로 돌아갑니다. 몸-놀이에 앞서는 몸-생김으로서 엄마아빠의 사랑이 지금 내 몸-놀이의 후험(後驗)에 앞서는 후험(後驗)으로 간주된 이상, 이로부터 몸-생김의 선험(先驗)은 후험(後驗)의 전제 조건으로서 '공간과 시간'이라는 추상적 개념으로 제시됩니다. 왜냐하면 선험도 결국 구체적인 공간과 시간으로 감각되는 후험에 불과하기 때문입니다. 이로부터 선험은 공간과 시간이라는 추상적 개념으로 제시됩니다.

그런데 우리가 진실로 알고 싶은 것은 '엄마아빠의 사랑'입니다. 이 주제와 관련하여 뜻밖에 우리에게는 공간과 시간이라는 추상적 개념이 주어집니다. 이처럼 선험(先驗)을 후험(後驗)의 존립기초로서 추상적인 공간과 시간으로 제시하는 것이 칸트(Kant)의 '선험종합'입니다. 이에 근거하여 감정과학은 '종합'과 '선험종합'을 다음과 같이 정의합니다.

종합(綜合)

: 감각적으로 지각되는 모든 몸-놀이, 즉 후험(後驗)의 존립기초로서 '공간과 시간'.

선험(先驗)종합(綜合)

: 몸-생김의 선험(先驗)으로 존재하는 엄마아빠의 사랑(sex)을 공간과 시간의 한계 안에서 감각적으로 지각되는 엄마아빠의 몸-놀이로 이해한다.

: 엄밀히 말해서 '선험종합'은 몸-놀이의 조건으로서 '공간과 시간'이다.

그러나 몸-생김의 '선험'(先驗)인 엄마아빠의 생명과 사랑을 '종합'(綜合)'으로 이해하는 것은 다음과 같은 두 가지 이유로 모순입니다.

① 자식으로 존재하는 우리 자신의 몸에 나아가 '생김'을 생각해 보면, '공간과 시간'이 아니라 '엄마아빠'가 존재합니다. 정확히 말하자면, '엄마의 몸'과 '아빠의 몸'이 자식으로 존재하는 지금 우리 몸의 생김에 고유한 본성의 필연성입니다. 그런데 선험종합은 '공간과 시간'을 몸-생김의 선험으로 이해하고 있습니다. 따라서 이 이해는 몸-생김 그 자체의 본성이 아닙니다.

② 몸-생김은 지금 우리 자신의 몸을 향합니다. 지금 우리 '자신의 몸'에 나아가 생김(선험)을 이해하고 있습니다. 그렇기 때문에 생김(선험)에 대한 이해를 지금 우리 자신의 몸 안에서 해야 합니다. 절대적으로 우리 자신의 몸-생김을 이해함에 있어서 우리의 생각을 지금 우리 자신의 몸 밖에 두면 안 됩니다. 지금 우리 자신의 몸 안에서 몸-생김에 대해서 생각하고, 그 생각 안에서 몸-생김에 대해서 이해해야 합니다. 그런데 선험종합은 지금 우리 몸 밖에 있는 엄마아빠의 몸과 이 두 분의 사랑(sex)을 공간과 시간의 한계 안에서 감각적으로 지각되는 현상으로 이해하고 있습니다. 이 이해는 몸-생김 그 자체의 본성이 아닙니다.

위와 같이 칸트의 선험종합으로 몸-생김을 이해하는 인식의 오류를 두 가지 측면에서 접근하고 이해하는데 성공하면, 우리는 선험을 이해하기 위한 방법으로서 종합(綜合)과는 완전히 차원이 다른 방법을 발견하게 됩니다. 우리는 철두철미 공간과 시간으로 살아가는 후험(後驗)의 몸-놀이로 살아갑니다. 이렇게 후험으로 살아가는 우리가 우리 자신의 몸에 나아가 선험(先驗)에 대해서 생각해 보면, 몸-생김의 선험에 대한 우리의 생각이 **자기 안에서 자기 스스로 자명하게** 형성하는 이해가 있습니다. 이 이해를 '분석'(分析)이라 합니다. 따라서 우리는 다음과 같은 정의를 정립할 수 있습니다.

분석(分析)

: 우리 스스로 생각하는 중에 우리 자신의 생각 안에서 자명한 이해를 영원의 필연성으로 형성함.

선험(先驗)분석(分析)

: 몸-생김의 선험(先驗)으로 존재하는 엄마아빠의 사랑(sex)을 공간과 시간의 한계 안에서 감각적으로 지각하고 그에 의존하여 생각하는 것이 아니라, 지금 우리 자신의 몸에 나아가 우리 스스로 생각하는 중에 우리 자신의 생각 안에서 영원의 필연성으로 엄마아빠의 사랑(sex)을 이해한다.

: 엄밀히 말해서 '선험분석'은 엄마아빠의 영원하고 무한한 생명과 사랑이다.

몸으로 생겨나서 몸으로 살아가고 있는 우리가 지금 우리 자신의 몸에 나아가 '생김'을 이해할 때, 그 방법을 종합(綜合)으로 하면 여기에는 항상 우연성이 개입합니다. '엄마아빠의 사랑(sex)'을 종합으로 이해하면, '나는 왜 이런 부모로부터 생겨났을까?' 또는 '다른 좋은 부모 밑에서 태어났으면 좋을 텐데.'라는 생각을 하게 됩니다. 극단적으로 나아가면 부모의 존재를 부정하려고 합니다. 앞에서 다루었듯이 여기에는 무수한 곡절들이 있습니다. 그러나 그런 곡절들을 가지고 몸-생김의 본질로 존재하는 부모를 부정하게 되면, 이는 실질적으로 자기 스스로 자기 존재의 근간을 부정하는 것입니다. 결국 몸으로 살아가는 자신의 삶은 절대적으로 행복할 수 없습니다.

그러나 우리에게는 '종합'(綜合)이 아닌 '분석'(分析)이 주어져 있습니다. 우리 모두는 각자 자신의 몸으로 살아갑니다. '종합' 안에 있습니다. 우리의 몸을 낳아주신 엄마아빠도 몸으로 살아갑니다. '종합' 안에 있습니다. 그렇기 때문에 몸-생김의 선험(先驗)을 종합으로 이해하는 것은 자연스러운 것입니다. 그러나 우리는 이것을 얼마든지 분석(分析)으로 이해할 수 있습니다. 지금 우리 자신의 몸에 나아가 우리 스스로 생각해 봅시다. 우리 자신의 몸을 향한 우리 자신의 마음은 자기 안에서 자기 스스로 영원의 필연성으로 존재하는 몸-생김의 진실로서 '엄마아빠의 사랑(sex)'을 명백하게 이해합니다.

우리는 몸으로 살아갑니다. 매순간 감정을 느낀다는 것이 이 사실에 대한 증명입니다. 이 사실에 근거하여 우리 자신의 몸에 나아가 몸의 생김을 우리 스스로 생각해 보면, '엄마의 몸과 아빠의 몸이 서로 사랑한 결과 지금의 내 몸이 영원의 필연성으로 존재하도록 결정되었다.'는 사실을 명백하게 이해합니다. 여기에는 우연성이 없습니다. 이 이해는 종합이 아닌 분석에 기초하기 때문에 영원의 필연성을 속성으로 갖습니다. 왜냐하면 우리는 이 이해 이외 다른 방식으로 우리 몸의 생김을 이해할 수 없기 때문입니다. 영원의 필연성을 확인하는 것이 '분석'입니다.

엄마의 몸은 생명이며, 아빠의 몸도 생명입니다. 이 생명이 영원의 필연성으로 존재한다면, 그것의 속성은 '영원무한'입니다. 여기에는 절대적으로 죽음이 없습니다. 이 사실에 근거하여 '엄마아빠의 사랑(sex)'도 이해할 수 있습니다. 지금 우리 몸의 생김으로 존재하는 엄마아빠의 사랑은 영원무한의 생명 안에 있기 때문에, 이 사실로부터 사랑의 속성은 생명과 마찬가지로 '영원무한'입니다. 이제 우리는 몸-생김의 진실로서 엄마아빠의 존재가 영원무한의 생명이라는 사실, 그리고 이로부터 엄마아빠의 사랑 또한 영원무한의 사랑이라는 사실을 확인했습니다. 몸-생김으로서 선험(先驗)은 엄마아빠의 사랑이며, 이것은 영원의 필연성 안에서 '영원무한의 생명과 사랑'입니다.

진리의 필연성 안에서 영원무한의 생명과 사랑이 존재하며, 이 존재로부터 지금 우리의 몸이 영원의 필연성으로 생겨났습니다. 이 이해가 몸-생김에 대한 타당한 인식입니다. 감정과학은 이처럼 몸-생김의 선험(先驗)을 분석(分析)으로 이해하는 '선험분석'을 '성리'(性理)라고 정의합니다. 리(理)는 필연(必然)을 뜻하기 때문에 우리가 몸-생김의 선험(先驗), 즉 '성'(性)을 분석(分析)을 통해서 영원무한의 필연성인 리(理)로 이해하는 한에서 '리'와 '분석'은 본질적으로 동일한 개념입니다. 선험분석(先驗分析)이 성리(性理)인 이유입니다. 드디어 우리는 서문의 첫 번째 질문으로 돌아갈 수 있고, 문제의 답을 구할 수 있게 되었습니다.

이곳 서문에서 제기된 질문은 다음과 같습니다.

'성리'(性理)는 무엇입니까?
'성'(性)은 무엇입니까? '리'(理)는 무엇입니까?

이 질문에 대한 감정과학의 답을 다음과 같이 요약할 수 있습니다.

'성'(性)은 '몸-생김'을 설명하는 '선험'(先驗)입니다. '리'(理)는 '영원의 필연성'을 이해하는 '분석'(分析)입니다. 그렇기 때문에 성리(性理)는 몸-생김의 선험(性)을 영원의 필연성(理)으로 이해하는 것입니다. 이 이해를 추구하는 학문이 성리학(性理學)입니다. 따라서 '성리학'은 영원무한의 생명과 사랑이 존재한다는 명백한 사실 안에서 이 사실로부터 지금 우리의 몸이 영원의 필연성으로 생겨나도록 결정되었다는 사실을 이해하는 학문입니다.

우리가 성리학을 연마함으로써 몸-생김의 진실로서 엄마아빠의 사랑을 영원무한의 생명과 사랑으로 이해하는 것이 왜 중요할까요? 무엇보다도 이 이해가 우리 몸의 생김에 대한 올바른 이해입니다. 그리고 이 이해가 분명할 때, 선험종합(先驗綜合) 속에 있는 엄마아빠의 사랑 이야기를 이해할 수 있습니다. 선험종합으로 존재하는 엄마아빠도 결국 '몸'으로 존재하기 때문에 엄마아빠의 몸에 고유한 몸-생김의 진실은 영원무한의 생명과 사랑을 본성의 필연성으로 갖습니다. 이 대목에서는 그 어떤 출생의 비밀이나 비극 같은 것은 없습니다. 모두가 단 하나의 필연성인 선험분석 안에서 선험종합을 배워서 이해하고, 그 결과 최상의 행복을 누리게 됩니다.

우리가 선험분석을 분명하게 이해하지 못하면, 뜻밖에 부모에 대한 원망에 휩싸이게 됩니다. 그러나 영원무한의 생명과 사랑 안에서 공간과 시간 속에 있는 엄마아빠의 사랑(sex) 이야기를 이해할 때, 부모를 향한 원망은 사라집니다. 그렇기 때문에 부모(생김)를 향한 자식의 원망은 엄밀히 말해서 몸-생김의 비극이 아니라 인식의 비극입니다. 이 비극이 우리 자신을 비극으로 몰아갑니다. 출생을 비밀로 간직할 수밖에 없는 비극, 더 나아가 엄마아빠의 존재를 지우려는 비극이 발생합니다. 몸-생김에 대한 올바른 인식이 매우 중요한 이유가 여기에 있습니다. 이를 위한 유일한 방법은 '분석'입니다. 자기 안에서 자기 스스로 이해하는 영원무한의 필연성이 분석이며 리(理)입니다. 이것으로 몸-생김을 이해해야 합니다.

자기 몸-생김에 대한 분석이 분명하지 않으면, 엄마아빠의 사랑을 우연성으로 바라보며, 급기야 '좋음'과 '나쁨'이 섞인 것으로 착각하게 됩니다. 그러나 몸-생김의 선험을 분석으로 이해하면, 영원의 필연성 안에서 몸-생김의 종합은 순수지선으로 이해됩니다. 감각적 현상으로 지각된 엄마아빠의 사랑이 품고 있는 수많은 곡절들은 분석에 의해서 생명과 사랑 안에서 묻고 배워서 이해하게 됩니다. 감각적으로 지각되는 수많은 엄마아빠의 사랑 이야기를 '성리'(性理)와 구분하기 위하여 감정과학은 '성기'(性氣)로 정의합니다. 따라서 우리는 선험종합을 성기(性氣)로 정의할 수 있습니다.

'선험분석(先驗分析): 성리(性理)' X '선험종합(綜合): 성기(性氣)'

영원의 필연성으로 생명과 사랑이 존재합니다. 이 존재가 우리 몸의 생김으로 존재하는 선험(先驗) 또는 성(性)의 진실입니다. 감정과학은 이 진실을 선험분석의 성리(性理)로 정의합니다. 이 진실은 지금 몸으로 살아가고 있는 우리 자신이 자기의 몸에 나아가 생김의 진실인 엄마아빠의 사랑(sex)에 대해서 생각한 결과 자명하게 확인한 진리의 필연성입니다. 이것을 이해하는 방법이 분석(分析) 또는 리(理)입니다. 그렇기 때문에 학문의 기초는 무엇보다도 '성리학'(性理學)입니다. 핵심은 지금 우리 자신의 몸에 나아가 몸-생김에 존재하는 엄마아빠를 감각적 현상이 아닌 그 자체의 본성, 즉 영원의 필연성으로 이해하는 것입니다.

이 이해(性理)가 분명할 때, 몸-생김에 존재하는 엄마아빠의 모든 이야기들(性氣)을 참답게 이해할 수 있습니다. 자식으로 존재하는 우리가 엄마아빠의 잘못을 뉘우치며 용서할 수 있게 되며, 이로부터 우리는 엄마아빠를 원망하거나 저주하기 보다는 뜻밖에 생명과 사랑으로 이해할 수 있게 됩니다. 다른 한편으로 엄마아빠의 생명과 사랑에 대한 참다운 인식을 결여한 자식이 자신의 잘못을 뉘우칠 수도 있습니다. 결국 자기 몸에 고유한 생김의 진실인 성리(性理)가 분명할 때, 자식으로 존재하는 우리는 더 이상 감각적 현상으로 몸-생김을 이해하지 않습니다. 오히려 감각적 현상으로 지각된 몸-생김을 올바르게 배워서 올바르게 이해합니다.

영원의 필연성으로 존재하는 성리(性理)의 진실을 이해함으로써 감각적 현상으로 지각되는 엄마아빠의 사랑 이야기(性氣)를 생명과 사랑 안에서 배우는 학문이 '성리학'(性理學)의 감정과학입니다. 이 학문은 감각적 현상으로 지각되는 엄마아빠의 사랑 이야기를 '성기'(性氣)라고 부릅니다. 따라서 다음과 같은 정의를 제시할 수 있습니다.

① 선험분석(先驗分析) = 성리(性理)
: 몸-생김의 본성인 엄마아빠의 사랑 이야기를 몸 자체의 본성으로 인식함으로써 영원무한의 생명과 사랑을 몸-생김의 선험 그 자체의 진리로 이해한다.

---

② 선험종합(先驗綜合) = 성기(性氣)

: 몸-생김의 본성인 엄마아빠의 사랑 이야기를 몸 자체의 본성으로 인식하는 것이 아니다. 나의 후험에 앞서는 부모의 후험을 나의 선험으로 간주한다. 그 결과 엄마아빠의 사랑을 공간과 시간의 한계 안에서 감각적으로 지각되는 현상으로 이해한다.

위의 두 정의는 우리에게 선택의 문제가 아닙니다. 선험분석으로서 성리(性理)가 우리 몸-생김에 대한 타당한 인식입니다.

이 인식이 분명할 때, 선험종합으로서 성기(性氣)에 대한 타당한 인식이 확립됩니다. 자식으로 존재하는 우리는 성리(性理) 안에서 성기(性氣)를 묻고 배움으로써 그에 대한 타당한 인식을 형성할 수 있습니다. 이러한 맥락에서 보면, 성리학(性理學)은 추상적인 '관념 철학' 또는 현실을 떠난 '초월 철학'이 아닙니다. 지금 우리 자신의 몸에 나아가 생김(性)에 고유한 본성을 영원의 필연성(理)으로 인식함으로써 영원무한의 생명과 사랑을 이해하고, 이 이해에 기초하여 엄마아빠(性)의 사랑 이야기(氣)를 올바르게 배우는 학문입니다. 이 학문을 연마함으로써 우리는 자기 몸의 생김을 생명과 사랑으로 이해하며, 그와 함께 자신의 존재를 최고의 완전성으로 축복하게 됩니다.

정리학(情理學): 리발기수(理發氣隨)

우리는 몸으로 생겨나고 몸으로 살아갑니다. 이 사실로부터 우리 자신에 대한 타당한 이해는 몸에 대한 이해입니다. 몸의 진실은 '생김으로 놀이', 즉 '생겨난 대로 놀이한다.'입니다. 이 진실에 근거하여 몸에 대한 이해를 생김과 놀이로 나누어 할 수 있습니다. 이미 앞에서 정의한 바와 같이, 몸-생김을 선험(先驗)의 성(性)이라 합니다. 이것을 이해하는 방법은 분석의 '리'(理)와 종합의 '기'(氣)가 있지만, 올바른 방법은 리(理)입니다. 이 방법으로 선험의 성(性)을 이해할 때, 그때 비로소 우리는 선험의 기(氣)를 생명과 사랑 안에서 올바르게 이해할 수 있습니다.

선험의 성(性)을 리(理)로 인식함으로써 그것의 기(氣)를 이해할 수 있다는 논리적 필연성을 다음과 같이 요약할 수 있습니다.

[성(性)]리발(理發)-[성(性)]기수(氣隨)

몸-생김의 선험(先驗)을 우리가 성(性)으로 정의할 때, 그에 대한 인식을 분석의 리(理)와 종합의 기(氣)로 나눌 수 있습니다. 이때 인식의 순서는 반드시 '리발기수'(理發氣隨)입니다. 이러한 인식의 순서가 분명하지 않으면 성리(性理)에 대한 인식에 어둡게 됩니다. 오직 감각적 현상인 성기(性氣)만으로 성(性)을 이해하게 됩니다. 내 몸의 생김으로 존재하는 엄마아빠의 사랑(sex)에 고유한 본성의 필연성인 영원무한의 생명과 사랑인 성리(性理)를 이해하지 못하면, 엄마아빠의 사랑은 공간과 시간의 한계 안에서 감각적으로 지각되는 현상(氣)적 사건(性)으로 잘못 이해됩니다. 이것은 성리학(性理學)이 추구하는 인식이 아니며, 또한 그 자체로 성(性)에 대한 참다운 인식이 아닙니다.

이제 우리는 선험분석으로서 성리(性理)에 대한 인식이 분명할 때, 선험종합으로서 성기(性氣)에 대한 타당한 이해가 정립된다는 사실을 확인할 수 있습니다. 이 사실에 근거하여 성리학의 다음과 같은 명제를 다시 봅시다.

성발위정(性發爲情)

방금 전에 우리는 성(性)에 대한 인식을 성리(性理)와 성기(性氣)로 나눈 다음, 이 둘 사이의 인식의 논리적 순서를 '리발기수'(理發氣隨)로 확인했습니다. 그렇다면 당연히 몸-놀이의 후험(後驗)인 정(情)에 대해서도 분석의 리(理)와 종합의 기(氣)라는 서로 다른 두 가지 인식이 성립한다는 결론이 영원의 필연성으로 연역됩니다. 왜냐하면 성(性)에 대한 인식을 리(理)와 기(氣)로 나눌 수 있다면, 성발위정(性發爲情)에 근거하여 정(情)에 대한 인식에 있어서도 리(理)와 기(氣)로 나눌 수 있기 때문입니다. 이는 우리가 얼마든지 감정을 감각적 현상으로 지각하며 해석할 수 있지만, 정반대로 얼마든지 그 자체에 고유한 본성의 필연성으로 이해할 수 있다는 것을 뜻합니다.

성리학(性理學)의 논리에 입각하여 생각해 보면, 이 결론은 지극히 당연한 것입니다. 몸-생김의 영원한 필연성이 영원무한의 생명과 사랑으로 분명하다면, '생김의 몸으로 놀이한다.'는 성리학의 공리인 성발위정(性發爲情)으로부터 생김의 진실로서 영원무한의 생명과 사랑은 당연히 몸-놀이의 진실로 존재합니다. 이는 기하학적 질서의 필연성 안에 있습니다. 삼각형의 본성을 따라서 우리가 삼각형을 그리는 것과 같은 이치로, 몸-생김의 본성을 따라서 몸-놀이가 이루어지는 것은 지극히 당연한 진리의 필연성입니다. 따라서 성리(性理)에 대한 인식이 우리에게 분명하다면, 이것은 정리(情理)에 대한 인식으로 증명됩니다.

이러한 진리의 필연성을 다음과 같이 정리할 수 있습니다.

성리(性理)로부터 정리(情理)의 필연성

성리학(性理學)은 반드시 정리학(情理學)으로 전개됩니다. 학문의 시작은 몸-생김의 진실을 배우는 '성리학'이지만, 그 끝은 몸-놀이의 진실을 배우는 '정리학'입니다. 결국 몸에 대한 타당한 인식이 전부입니다. 우리가 우리 자신의 몸에 나아가 생김의 진실을 분석으로 이해하는 한에서 이 진실은 그 즉시 놀이의 본질로 존재한다는 것을 이해합니다. 영원무한의 생명과 사랑 안에서 생겨난 몸이기 때문에 이렇게 생겨난 몸은 영원무한의 생명과 사랑 안에서 놀이합니다. 공간과 시간 속에서 무한한 방식으로 무한한 몸의 변화로서 감정은 영원의 필연성 안에서 생명과 사랑을 본성의 필연성으로 갖습니다.

이 사실을 부정하며 존재하는 감정은 절대적으로 없기 때문에 매 순간 무한히 변화하는 감정을 생명과 사랑의 필연성 안에서 배워서 이해하는 것이 '정리학'(情理學)입니다. 따라서 정리학(情理學)의 논리 또한 성리학(性理學)의 논리와 동일합니다.

[정(情)]리발(理發)-[정(情)]기수(氣隨)

우리는 몸으로 살아갑니다. 이 말은 몸의 무한 변화로 살아간다는 것을 뜻합니다. 우리의 몸은 무한한 방식으로 무한히 변화합니다. 우리 스스로 가슴에 손을 올려보면, 이 사실은 지극히 자명합니다.

그런데 몸의 무한 변화는 '순간 변화'의 무한성으로 이루어져 있으며, 우리는 그 각각의 순간 변화에 대한 개념을 '감정'으로 확인합니다. 우리가 매순간 무한한 방식으로 무한하게 감정을 느끼는 이유가 바로 여기에 있습니다. 감정과학은 이것을 후험(後驗) 또는 '몸-놀이'라고 부릅니다. 감정은 절대적으로 신체적 사건이지, 엄밀히 말해서 마음의 사건의 아니라는 뜻입니다.

우리가 이 사실을 우리 자신의 몸과 감정에 근거하여 명확히 이해할 때, 감정의 무한 생성에 대한 참다운 이해가 무엇인지 감정과학에 근거하여 쉽게 이해할 수 있습니다. 우리는 감정의 무한 생성 및 변화를 공간과 시간의 한계 안에서 감각적으로 지각되는 현상(氣)이나 사건(氣)으로 바라볼 수 있습니다. 그러나 이와 정반대로 우리는 얼마든지 감정을 그 자체에 고유한 본성의 필연성으로 이해할 수 있습니다. 왜냐하면 몸-놀이는 자신에 앞서는 몸-생김에 고유한 본성을 자기 존재의 필연성으로 갖고 있으며, 우리가 몸-생김의 본성을 영원의 필연성 안에서 영원무한의 생명과 사랑으로 확인한 이상 이 진실은 몸-놀이의 본성으로 당연히 존재하기 때문입니다.

성리(性理)로부터 정리(情理)는 필연적입니다. 이 사실로부터 공간과 시간 속에서 무한한 방식으로 무한히 생겨나고 변화하는 감정의 무한성에 대한 타당한 인식이 무엇인지 분명합니다. 무한한 방식으로 무한한 감정은 자신의 생성 및 변화에 관하여 자기 본성의 필연성인 정리(情理)를 영원의 필연성으로 가지고 있습니다. 그렇기 때문에 감정의 무한 변화에 대한 참다운 인식은 매순간에 고유한 본성을 영원의 필연성으로 이해하는 것입니다. 이 이해로부터 모든 감정은 순수지선으로 확인됩니다. 왜냐하면 우리가 어떤 감정에 고유한 본성을 영원의 필연성으로 확인한 이상, 그것의 존재는 절대성 그 자체이기 때문입니다.

다 좋은 세상

지금 우리 자신을 포함하여 자연 안에 존재하는 모든 몸은 성리(性理)를 따라서 존재하는 성기(性氣)에 의해서 생겨나도록 영원의 필연성으로 결정되어 있습니다. 기(氣)는 절대적으로 리(理)를 따라서 존재하며 활동합니다. 그렇기 때문에 성기(性氣)에 의해 성겨난 모든 몸은 궁극적으로 단 하나의 영원성 그 자체인 영원무한의 생명과 사랑인 성리(性理: 엄마아빠의 사랑)에 의해서 생겨났습니다. 순수지선이 아닌 다른 것으로 생겨난 몸은 절대적으로 없습니다. 몸은 '다 좋은 몸'으로 생겨납니다. 이 사실을 배우는 것이 '성리학'입니다.

이 사실로부터 순수지선이 아닌 다른 것으로 놀이하는 몸은 절대적으로 없습니다. 몸에 고유한 영원한 진실입니다. 몸은 무한한 방식으로 무한히 변화하며 그 각각에는 그에 고유한 곡절이 분명히 존재하지만, 그럼에도 불구하고 모든 감정은 자기 존재에 고유한 본성의 필연성으로서 영원무한의 생명과 사랑 안에 존재합니다. 이 사실, 즉 정리(情理) 안에서 정기(情氣)의 곡절을 이해하는 것이 감정에 대한 참다운 이해입니다. 그 결과 다 좋은 감정을 확인합니다. 이 사실을 배우는 것이 '성리학'의 '감정과학'입니다.

그러므로 순수지선으로 생겨난 몸이 순수지신의 감정으로 살아갑니다. 이 진실이 성리학의 감정과학이 이해하는 세상의 진실입니다.

지금 우리의 진실이며 동시에 천지만물에 고유한 진실입니다. 그렇기 때문에 '다 좋은 세상'은 학문의 목적이 절대 아닙니다. 다 좋은 세상은 몸의 생김과 놀이에 고유한 영원한 진실입니다. 따라서 다 좋은 세상은 만드는 것이 아니라 지금 우리 자신의 몸을 비롯해서 자연의 모든 몸에 대해서 타당한 인식을 확립하는 것입니다.

요약: 감정과학의 성리학 장르분석

'성리학'(性理學)의 감정과학은 '선험(性)-분석(理)'에 대한 명석판명의 이해를 확립하는 학문입니다. 지금 자신의 몸에 나아가 몸-생김에 고유한 본성의 필연성을 자기 스스로 자기 안에서 명백하게 이해하는 것입니다. 그 결과 영원의 필연성으로 존재하는 영원무한의 생명과 사랑을 이해하며, 이 존재로부터 지금 자신의 몸이 생겨났다는 사실을 진리의 필연성으로 이해하게 됩니다. 이 이해로부터 우리는 본래부터 최고의 행복 그 자체로 존재합니다.

이 이해가 분명할 때, 성리학은 '정리학'(情理學)으로 직결됩니다. 정리학은 '후험(情)-분석(理)'에 대한 명석판명의 이해를 확립하는 학문입니다. 지금 자신의 감정에 나아가 몸-놀이로서 감정의 생김에 고유한 본성의 필연성을 자기 스스로 자기 안에서 명백하게 이해하는 것입니다. 그 결과 영원의 필연성으로 존재하는 영원무한의 생명과 사랑을 이해하며, 이 존재로부터 지금 자신의 감정이 생겨났다는 사실을 진리의 필연성으로 이해하게 됩니다.

퇴계 이황은 『성학십도』의 제6도에서 '성리학의 감정과학'에 고유한 논리를 다음과 같이 분명하게 정리했습니다. 「서문 1」에서 이미 제시한 원문입니다. 이 원문을 분석하면 다음과 같습니다.

其中圖者, 就氣稟中, 指出本然之性, 不雜乎氣稟而爲言.

子思所謂天命之性,

孟子所謂性善之性,

程子所謂卽理之性,

張子所謂天地之性, 是也.

其言性, 旣如此故, 其發而爲情, 亦皆指其善者而言.

如子思所謂中節之情,

孟子所謂四端之情,

程子所謂何得以不善名之之情,

朱子所謂從性中流出元無不善之情, 是也.

然則, 孟子·子思, 所以只指理言者, 非不備也. 以其並氣而言, 則 無以見性之本善故爾. 此中圖之意也.

'其中圖者, 就氣稟中, 指出本然之性, 不雜乎氣稟而爲言.'는 성리(性 理)입니다. '其言性, 旣如此故, 其發而爲情, 亦皆指其善者而言.'은 정리 (情理)입니다. 합리기(合理氣)의 성(性)에 나아가 본연지성(本然之性)을 이해한다는 것은 성(性) 그 자체의 본성을 이해하는 것입니다. 이 이

해가 '指理暑'입니다. 이것이 바로 '선험(性)-분석(理)'입니다. 모든 몸은 순수지선으로 생겨났다는 것을 확인합니다. 그렇기 때문에 성(性)을 선험분석으로 인식한 이상, 정(情)에서도 선험분석으로 인식할 수 있다는 것이 '指其善'입니다. '性之本善'을 확인한 이상, 감정(情)에서도 그와 똑같은 방식으로 이해할 수 있다는 뜻입니다. 성(性)을 분석의 리(理)로 이해할 수 있다면, 당연히 감정(情)에 대해서도 분석의 리(理)로 이해할 수 있다는 것입니다. 그 결과 깨닫게 되는 것은 '다 좋은 세상'입니다.

이상의 논리가 우리가 퇴계의 『성학십도』에 근거하여 깨닫게 되는 '성리학의 감정과학'입니다. 사실상 지금까지 전개된 모든 논의들이 이 학문의 논리에 기초하고 있습니다. 그렇기 때문에 성리학(性理學)은 감정과학으로서 정리학(情理學)이며, 이것은 역으로도 성립합니다. 情理學이 性理學을 이해하는 기초이자 방법입니다. 이 사실이 분명할 때, 성리학을 감정과학으로 확인하는 방법은 감정과학의 논리에 근거하여 성리학을 이해하는 것입니다. 이 이해가 '감정과학의 '성리학 장르' 분석'입니다. 따라서 '성리학'을 감정과학으로 이해하기 위하여 성리학의 장르를 분석할 때, 이를 위한 감정과학의 논리를 다음과 같이 제시할 수 있습니다.

① 성리(性理)
: '선험분석'(性理)의 개념이 분명한가?

② 성리(性理)로부터 정리(情理)
: '후험분석'(情理)의 개념이 분명한가?

③ 성리(性理)에 근거하여 성기(性氣)

: '선험분석'(性理)으로 '선험종합'(性氣)을 이해하는가?

④ 정리(情理)에 근거하여 정리(情氣)

: '후험분석'(情理)으로 '후험종합'(情氣)을 이해하는가?

그러므로 국민대학교 문화교차연구소가 출판하는 『성리학의 감정과학 연구 총서』는 『성리대전』을 구성하는 송명(宋明) 시대 성리학자들의 성리(性理) 관련 논의가 과연 감정과학의 논리에 충실한지 여부를 확인합니다. 이것으로 우리는 성리학을 감정과학으로 증명할 수 있게 됩니다. 이 증명이 지금 우리에게 중요한 이유는 성리학에 대한 올바른 이해를 제시하기 때문입니다. 성리학은 몸에 대한 타당한 인식에 근거하여 감정에 대한 타당한 인식을 추구하는 학문입니다. 궁극적으로 우리는 성리학에 근거하여 우리 자신의 감정 및 세상 모든 감정에 대해서 올바르게 배워서 올바르게 이해할 수 있습니다. 생명과 사랑의 축복을 누리는 방법이 여기에 있습니다.

서문 3: '참고문헌'에 관하여

연구총서 시리즈 《성리학의 감정과학》은 퇴계 선생님이 『성학십도』에서 제시한 감정과학의 논리에 기초합니다. 감정과학에 의하면 학문의 핵심을 네 가지 장르로 요약할 수 있습니다. 이와 관련된 자세한 설명은 『서문 2』에서 충분히 다루었으므로 여기에서는 네 가지 장르의 핵심만을 제시하겠습니다.

성리(性理: 선험분석)	정리(情理: 후험분석)
성기(性氣: 선험종합)	정기(情氣: 후험종합)

감정과학에 근거한 학문의 네 가지 장르를 확인하면, 감정과학의 논리를 쉽게 알 수 있습니다. 그것은 '리발기수'(理發氣隨)입니다. 성(性)에서도 오직 '리발기수'이며, 정(情)에서도 오직 '리발기수'입니다.

그런데 여기에서 우리가 절대 혼동하면 안 되는 것은 '리발기수'는 두 개로 존재하는 것이 아니라는 사실입니다. 선험분석의 성리(性理)가 후험분석의 정리(情理)로 존재하기 때문에 리(理)는 단 하나이며, 그렇기 때문에 리발기수는 단 하나의 리(理)가 성(性)과 정(情)을 일관합니다. 그리고 단 하나의 리(理)는 무한한 방식으로 무한하게 생겨나는 몸의 성기(性氣)와 무한히 생겨나는 몸의 변화로서 감정의 정기(情氣)에 존재합니다. 그렇기 때문에 단 하나의 리(理)는 동시에 무한한 기(氣)에 고유한 필연성으로 존재합니다. 단 하나의 리(理)가 동시에 무한한 리(理)로 존재합니다.

이 주제는 기하학으로 쉽게 이해할 수 있습니다. 가장 간단하게 삼각형을 예로 들어 봅시다. 삼각형은 '세 개의 내각과 그 총합은 180도'를 영원의 필연성으로 갖습니다. 이 본성(理)을 따라서 무한한 방식으로 무한하게 삼각형이 생겨나고 동시에 우리는 이 본성(理)을 따라서 삼각형을 그립니다. 이때 삼각형은 '직각 삼각형'으로 생겨날 수도(그릴 수도) 있고, '이등변 삼각형'으로 생겨날 수도(그릴 수도) 있습니다. 삼각형의 무한 생김과 놀이를 두 개로 예를 들었습니다. 그런데 '직각 삼각형'은 그에 고유한 본성의 필연성이 있으며, '이등변 삼각형'도 그러합니다. 모든 삼각형은 본성의 필연성을 따라서 생겨나고 놀이한다는 사실에서 보면, 필연성은 영원성 그 자체로 단 하나입니다. 그러나 그것은 동시에 무한한 삼각형 각각에 고유한 본성의 필연성으로 무한히 존재합니다. 이것으로 리(理)를 쉽게 이해할 수 있습니다. 리(理)는 단 하나의 영원이면서 동시에 무한입니다.

감정과학이 제시하는 네 가지 장르와 여기에 고유한 논리를 확인하고 나면, 『성리대전』의 많은 주제들을 감정과학으로 정리할 때 가장 중요한 것은 감정과학의 논리에 근거하여 그 각각의 장르를 분석하는 것입니다. 『성리대전』을 구성하는 각각의 주제들에 나아가 네 가지 장르를 확인할 수 있고 그에 기초하여 감정과학의 논리인 '리발기수'를 확인할 수 있다면, 그때 비로소 성리학은 감정과학으로 증명됩니다. 이러한 맥락에서 본 연구 총서의 연구방법은 철두철미 〚감정과학의 장르분석〛입니다. 성리(性理)를 논하는 『성리대전』의 작품에 나아가 네 가지 장르를 확인하고, 그것이 과연 감정과학의 논리를 따르는지 여부를 확인하는 것이 연구 방법의 기초입니다.

이 기초가 분명하기 때문에 국민대학교 문화교차연구소의 연구총서 《성리학의 감정과학》은 오직 '장르분석'으로 『성리대전』을 탐구합니다. 현대 학자들의 기존의 연구 논문이나 연구 서적들은 전혀 고려하지 않습니다. 왜냐하면 그 어떤 연구도 성리학(性理學) 또는 『성리대전』을 연구함에 있어서 장르분석에 기초하지 않았기 때문입니다. 현대 학자들의 연구 성과를 무시하는 것이 결코 아닙니다. 오직 이 이유에 근거하여 성리학을 감정과학으로 밝히는 이번 연구는 그들의 논문이나 서적들을 고려하지 않습니다. 다만, 다음과 같은 책과 논문을 참고 문헌으로 제시합니다.

유교문화 감정과학 연구총서

1. 『유교문화의 정초 공자의 감정과학』
2. 『유교문화의 학문 대학의 감정과학』
3. 『유교문화의 미학 중용의 감정과학』

스피노자 윤리학 연구총서

1. 『감정으로 존재하는 신』
2. 『신의 존재를 증명하는 감정』
3. 『욕망의 이성』
4. 『감정의 예속과 자유』
5. 『신을 향한 지적인 사랑』

연구 논문

- 기하학적 질서에 따라 증명된 思學의 사단지정과 不思不學이 칠자지정, 한국문화94(kci), 서울대학교 규장각(2021).

- 성학십도 심통성정도의 중도의 장르분석, 퇴계학논집25(kci), 퇴계학연구원(2019).
- 기하학적 질서에 따라 증명된 퇴계 선생의 경(敬), 퇴계학논집19(kci), 퇴계학연구원(2016).

국민대학교 문화교차학과 학위 논문
- 박사학위
1. 2023, 유효통, 『감정과학에 기초한 중국 고대 회화 미학의 감정 이해 분석』
2. 2023, 장학, 『감정과학에 기초한 주자와 왕양명의 '격물치지' 이론 연구 분석』
3. 2019, 유영관, 『'自明코칭'의 원리와 『中庸』의 '性, 道, 教'에 대한 나의 이해』
- 석사학위
1. 2023, 왕우가, 『감정과학에 근거한 문화소비 개념 연구』
2. 2022, 유지진, 『공자의 감정과학에 기초한 『시경』 「관저」의 인간 행복 연구』
3. 2022, 부홍리, 『현대 중국 학문의 위기 극복 방법으로서 감정과학의 「안자호학론」』
4. 2022, 진방, 『감정과학에 근거한 『논어(論語)』의 '빈부' 이해』

끝으로 참고문헌에 관련하여 가장 중요한 것을 말씀드립니다. 연구 총서 시리즈 《성리학의 감정과학》은 '학고방'에서 출판한 『완역 성리대전』의 편집을 따라서 원문과 번역을 인용하였습니다. 그렇기 때문에 본서의 본문에서 『완역 성리대전』의 원문과 번역을 인용을 할 때에는 그 각각에 대한 서지 정보를 생략하였습니다. 주옥같은 번역문 각각을 인용함에 있어서 일일이 각주로 감사의 마음을 표하지 못한 것에 대해서 용서를 미리 구합니다. 『완역 성리대전』을 번역해 주신 선생님들과 이 위대한 번역서를 출판해 주신 학고방 사장님께 깊은 감사 인사를 드리며, 《성리학의 감정과학》 제2권 『서명』의 감정과학에 대한 장르분석을 시작하겠습니다.

주돈이의 『태극도』(출처:한국고전종합 DB)

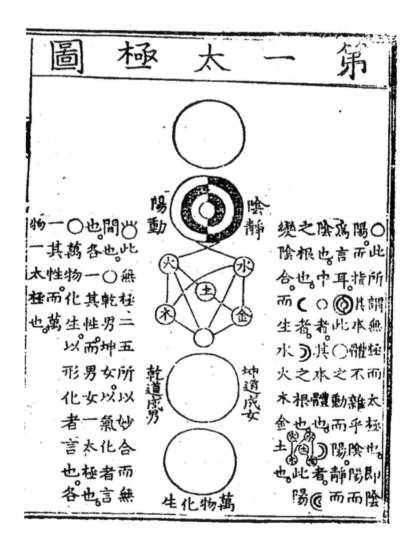

1부 太極圖의 장르분석
태 극 도

1장. 先驗(性)-分析(理), '無極而太極'
선험성 분석리 무극이태극

1. 無極而太極
무극이태극

주돈이가 그린 『태극도』(太極圖)는 동그란 원 하나로 시작합니다. 주돈이는 이 원을 '무극이태극'(無極而太極)이라고 부릅니다. 이에 대한 설명은 다음과 같습니다.

$$卽陰陽而指其本體, 不雜乎陰陽.$$
즉음양이 지기본체 부잡호음양

여기에서 가장 중요한 핵심어는 '指其本體'(지기본체)입니다. '지'(指)는 일반적으로 '손가락으로 가리킨다.'는 뜻이지만, 그 이면에는 '명석판명하게 이해한다.'는 뜻이 내포되어 있습니다. 예를 들어서 어떤 이가 '여기에 빨간색 펜과 파란색 펜이 있는데 빨간 색 펜이 무엇인지 손가락으로 가리켜 보시오.'라고 말할 때, 빨간색이 무엇인지 분명하게 알지 못하면 우리는 어느 것이 빨간색 펜인지 손가락으로 가리킬 수 없습니다. 이러한 맥락에서 보면, '指其本體'는 단순히 본체(本體)를 손으로 가리키는 행위가 아닙니다. 그에 대한 명명백백한 이해를 가지고 있다는 뜻입니다.

우리의 논의가 여기에 이르면 이제부터 중요한 논점은 '本體'(본체)가 무엇인지 이해하는 것입니다. 주자는 다음과 같이 설명합니다. (※참고: 아래에 인용된 원문과 번역문은 본서의 「서문 3: 참고문헌에 관하여」에서 미리 언급한 바와 같이 『완역 성리대전』[학고방, 윤용남 외, 2018.]에 출처를 둡니다.

따라서 본서가 『성리대전』을 인용할 때는 일관되게 『완역 성리대전』의 편제와 번역을 인용하기 때문에 별도의 각주를 제시하지 않습니다.)

> [1-0-1-8 『완역 성리대전』]
> '無極而太極', 正謂無此形狀, 而有此道理耳.
> (주자가 말했다.) "'무극이면서 태극이다.'는 바로 '이런 모양은 없으나 이런 도리가 있다.'고 말하는 것이다."

주자에 의하면, '無極而太極'(무극이태극) 또는 '本體'(본체)에 대한 정의는 "이런 모양은 없으나 이런 도리가 있다."입니다. 무엇보다도 여기에서 가장 중요한 것은 '無極而太極'(本體)가 구체적인 모양이나 형상 없이 존재한다는 사실입니다. 주자는 이 존재가 감각적 현상으로 지각되는 대상이 아니라는 점을 분명히 합니다. 비록 우리가 이 존재를 눈으로 볼 수 없고 손으로 만질 수 없지만, 이것은 반드시 존재할 뿐만 아니라 그것의 본성에는 영원의 필연성이 속합니다. 도리(道理)는 우연성이 아니라 필연성을 뜻합니다. 우리가 도리 또는 이치를 말할 때에는 본래부터 그러한 것이라서 어길 수 없다는 뜻이 그 안에 담겨 있습니다.

주돈이는 이렇게 존재하는 것을 '無極而太極'(本體)라고 부릅니다. 더 나아가 『태극도』에 의하면 우리는 반드시 이 존재를 배워서 명백하게 이해해야 합니다. '指其本體'(지기본체)라고 말했습니다. 이 지점에서 우리는 본서의 「서문 2」에서 정의한 '종합'과 '분석'의 개념에 대해서 기억할 필요가 있습니다. 종합과 분석에 대한 기본 정의는 다음과 같습니다.

종합(綜合)

: 감각적으로 지각되는 모든 몸-놀이, 즉 후험(後驗)의 존립기초로서 '공간과 시간'.

분석(分析)

: 우리 스스로 생각하는 중에 우리 자신의 생각 안에서 자명한 이해를 영원의 필연성으로 형성함.

'종합'은 공간과 시간이며, 구체적으로 그 한계 안에서 감각적으로 지각되는 모든 현상입니다. 반면, '분석'은 공간과 시간 속에 있는 우리 자신이 자기 스스로 생각하는 중에 자기 생각 안에서 자명한 이해를 영원의 필연성으로 형성하는 것입니다. 이 정의에 입각하여 우리는 '어떤 것'에 대한 이해를 두 가지 방식으로 형성할 수 있다는 결론이 나옵니다.

종합(綜合)에서 나오는 이해

: '어떤 것'을 공간과 시간의 한계 안에 둠으로써 그것의 존재 및 성질을 감각적으로 드러나는 현상으로 이해하는 것.

분석(分析)에서 나오는 이해

: 공간과 시간 속에 있는 '어떤 것'에 나아가되 그에 대한 우리 자신의 이해를 감각적 현상이 아닌 우리 자신이 스스로 생각하는 중에 그것의 존재 및 본질을 영원의 필연성으로 이해하는 것.

종합과 분석에서 나오는 완전히 서로 다른 두 가지 이해를 위와 같이 정의하면, '無極而太極'(本體)에 대한 명석판명의 이해를 뜻하는 '指其本體'(지기본체)가 위 두 가지 중 어느 것에 해당하는지는 자명합니다. '指其本體'는 '종합'이 아닌 '분석에서 나오는 이해'입니다. 본체를 가리키는 것이지, 그것의 현상을 가리키는 것이 절대 아닙니다. 따라서 '無極而太極'(本體)와 '指其本體'(지기본체)에 대한 이해를 다음과 같이 정의하는 것은 이성의 필연성 안에서 진리의 필연성으로 명백합니다.

'無極而太極'(本體)
: 이것은 선험분석이다.

【증명】
'無極而太極'(本體)는 공간과 시간의 한계 안에서 감각적으로 지각되는 현상이 아니다. 이 존재는 '존재 그 자체'이기 때문에 영원의 필연성으로 존재한다. 이 이유로 이 존재를 이해하는 방법은 '종합'(綜合)이 아닌 '분석'(分析)이다. 즉, 이 존재는 선험종합(先驗綜合) 또는 후험종합(後驗綜合)으로 이해되지 않는다. 다음으로 이 존재가 분석으로 존재한다는 사실로부터 이것은 선험분석(先驗分析) 또는 후험분석(後驗分析)으로 존재한다. 그런데 이 존재는 영원의 필연성으로 존재하기 때문에 본래부터 존재하는 것으로 우리가 이해할 수밖에 없으며, 그러한 한에서 이것은 경험의 후험(後驗)이 아니라 그에 앞서서 본래부터 존재하는 선험(先驗)에 속하는 것으로 이해할 수밖에 없다. (이것이 후험에도 존재하는지 여부는 독자들에게 약간의 인내심을 요청합니다. 이 주제는 본서 1부의 1장 「5. 후험에도 존재하는 선험분석의 실체」에서 증명합니다.) 따라서 '無極而太極'(本體)의 장르가 '선험(先驗)-분석(分析)'이라는 결론이 필연적으로 나온다.

'指其本體'

: 이것은 선험분석에 대한 명석하고 판명한 이해를 형성하는 것이다.

【증명】

지(指)는 명백한 이해를 함축하기 때문에 '指其本體'는 당연히 선험분석에 대한 명석판명의 이해를 뜻한다.

2. 先驗分析, 理
선 험 분 석   리

'無極而太極'(무극이태극) 또는 '本體'(본체)는 선험분석이며, '指其本體'(지기본체)는 선험분석에 대한 이해를 명명백백하게 하는 것입니다. 여기에서 가장 중요한 것은 이 이해가 '분석'에 기초하고 있다는 것입니다. 주자는 이 사실을 다음과 같이 확인합니다.

[1-0-1-9 『완역 성리대전』]
無極而太極, 正恐人將太極做一箇有形象底看, 故又說無極, 言只是此理也.
(주자가 말했다.) "'무극이면서 태극이다.'는 바로 사람들이 태극을 하나의 형상이 있는 것으로 간주할까 염려하여 또 무극을 말했으니, 단지 이 리일 뿐임을 말한 것이다."

주자는 "사람들이 태극을 하나의 형상이 있는 것으로 간주할까 염려하여 또 무극을 말했으니"라고 했습니다. 이에 입각하면 중요한 것은 '無

極而太極'(本體)에 대한 인식입니다. 종합(綜合)으로 이해하는 것이 아님을 분명히 확인할 수 있습니다. 그렇다면 결국 이 존재에 대한 이해는 분석(分析)으로 형성하는 것입니다. 다음으로 주자가 말한 "단지 이 리일 뿐임을 말한 것이다."에 근거하면, '無極而太極'(本體)는 理(리)로 이해하는 것임을 알 수 있습니다. '指其本體'(지기본체)는 '선험'에 대한 이해를 '분석'으로 한다는 것인데, 이것은 사실상 '無極而太極'(本體)를 '理'로 이해하는 것입니다. 따라서 선험분석은 '理'라는 결론이 나옵니다.

3. 自己原因
자 기 원 인

어떤 것이 영원의 필연성으로 본래부터 존재한다는 사실에 근거하여 다음과 같은 질문을 제기할 수 있습니다.

영원의 필연성 안에서 본래부터 존재하는 것은 어떻게 존재하게 된 것인가? 무엇이 그것을 존재하도록 결정하였는가?

이 물음에 대한 답은 영원의 필연성 안에서 본래부터 존재하는 자기 '자신'입니다. 어떤 것이 존재할 때 그 자신의 존재를 결정한 원인이 자신이 아닌 또 다른 어떤 것이라면, 그 어떤 것은 본래부터 존재하는 것이 아닙니다. 원인과 결과의 필연성은 영원성 그 자체이지만, 원인은 결과에 앞선 것입니다. 원인은 결과에 앞선다는 인과에 고유한 논리적 필연성에서 보면, 본래부터 존재하는 것은 결과가 아니라 원인입니다. 이로부터 우리는 이 원인을 결정한 원인에 대해서 생각해 볼 수 있습니다. 이 경우 당연히 원인을 결정한 또 다른 원인이 존재에 관하여 앞서며, 그러한 한에서 본래 존재하는 것은 원인에 대한 원인입니다.

이 주제를 쉽게 이해하기 위하여 다음과 같이 인과의 필연성을 순서대로 요약할 수 있습니다.

결과 ← 원인(결과) ← 원인(결과) ← 원인(결과) ← …

결과에 대한 '원인', 그리고 그 원인에 대한 '원인'을 계속해서 생각해 나아가면 그에 비례하여 우리는 '원인'의 존재만을 무한히 확인하게 됩니다. 그 결과 우리는 '원인은 영원의 필연성으로 존재한다.'라는 명제를 진리의 필연성으로 인정하게 됩니다. 그리고 이 명제에 기초하여 우리는 다시 '영원의 필연성으로 존재하는 원인은 자기 존재에 관하여 자기가 원인이다.'라는 명제를 진리의 필연성으로 인정하게 됩니다. 왜냐하면 결과에 대한 원인의 영원한 필연성으로부터 '원인' 그 자체에 고유한 본성은 자기 존재에 관하여 자기가 원인이라는 '자기원인'으로 명백하기 때문입니다.

이 주제를 보다 구체적으로 이해하는 방법은 우리 자신의 몸을 두고 우리 스스로 생각해 보는 것입니다. 지금 우리의 몸이 존재하기 위해서는 엄마의 몸과 아빠의 몸이 존재해야 합니다. 우리 자신의 몸에 앞서서 엄마의 몸과 아삐의 몸이 존재해야 합니다. 엄마의 몸과 아빠의 몸은 어떻습니까? 엄마의 몸을 낳아준 '엄마(나에게는 외할

머니)의 몸'과 '아빠(나에게는 외할아버지)의 몸'이 엄마의 몸에 앞서서 존재해야 합니다. 아빠의 몸도 마찬가지입니다. 이렇게 '결과'(나의 몸)에 앞선 '원인'(엄마의 몸과 아빠의 몸)의 몸을 생각하면 할수록 엄마의 몸과 아빠의 몸이 존재한다는 사실만을 영원무한으로 확인하게 됩니다.

우리 자신이 자기의 몸에 나아가 원인과 결과의 필연성을 자기 생각 안에서 자기 스스로 생각해 보면, 결국 영원무한의 필연성으로 존재하는 '엄마의 몸과 아빠의 몸' 그 이상을 생각할 수 없습니다. 다시 강조하지만, 지금 우리가 논의하는 엄마의 몸과 아빠의 몸은 종합으로 이해한 것이 절대 아닙니다. '족보'를 보거나 동사무소에서 '가족 관계 증명서' 같은 것을 발급 받은 다음에 하는 이야기가 아닙니다. 감각적 현상이나 감각의 대상으로서 '엄마아빠'가 아닙니다. 지금 '나' 자신의 몸에 나아가 존재에 고유한 인과의 필연성을 생각해 보면, 이 생각을 하는 '나' 자신이 자기 안에서 자기 스스로 깨닫는 '나'의 존재에 고유한 영원무한의 필연성입니다.

원인과 결과 사이에 놓인 영원무한의 필연성 안에서 원인의 존재만을 계속해서 추궁해 나아갈 때 그 궁극에 이르면 원인 그 자체에 고유한 본성은 '본래부터 존재하는 것'입니다. 영원무한의 필연성으로 존재하는 원인은 자기 존재에 관하여 자기가 원인입니다. 감정과학은 이것을 '자기원인'으로 정의합니다. 이처럼 원인에 고유한 그 자체의 본성을 이해하기 위하여 조금 전에 예로 제시한 것은 지금 내 몸의 존재를 결정한 자기원인으로서 엄마의 몸과 아빠의 몸입니다. 엄마의 몸과 아빠의 몸을 영원의 필연성으로 확인하는 이상, 이 존재는 자기 존재에 관하여 자기가 원인입니다.

원인과 결과에 고유한 필연성 안에서 결과에 대한 원인을 추궁할 때 궁극적으로 우리는 원인의 존재만을 무한히 확인하며, 그러한 한에서 원인의 존재에 관하여 그 이상을 생각할 수 없기 때문에 이 생각이 자명하게 원인 그 자체에 고유한 본성으로서 '자기원인'을 이해합니다. 자기원인이 영원무한의 필연성으로 존재하며, 이 존재로부터 무한한 결과가 무한한 방식으로 무한하게 산출됩니다. 영원의 필연성 안에서 자기원인으로 존재하는 엄마의 몸과 아빠의 몸이 존재하며, 이렇게 존재하는 엄마아빠의 몸으로부터 무한한 방식으로 무한한 자식이 산출됩니다. 이 진실을 쉽고 분명하게 이해하는 방법은 우리 스스로 우리 자신의 몸에 대해서 생각해 보는 것입니다.

　　방금 우리는 영원의 필연성 안에서 본래부터 존재하는 것을 '자기원인'으로 정의했습니다. 이것은 '선험'(先驗)일까요, 아니면 '후험'(後驗)일까요? 자기원인은 영원의 필연성 안에서 본래부터 존재하는 것이며, 동시에 모든 결과에 앞서서 존재하는 것입니다. 보다 구체적으로 이 존재를 우리 자신의 몸에 근거하여 이해하면, 그것은 사실상 '엄마의 몸과 아빠의 몸'입니다. 이 사실에 입각하여 생각해 보면, 자기원인의 장르는 '선험'이 명백합니다. 다음으로 보다 중요한 논점은 선험으로 존재하는 자기원인에 대한 우리의 이해가 종합과 분석, 이 둘 가운데 어느 것에 기초하냐는 것입니다. 정답은 당연히 '분석'입니다. 왜냐하면 자기원인은 자기 존재를 자기 스스로 결정하기 때문입니다. 자기 아닌 다른 것, 즉 공간이나 시간에 의존하지 않습니다.

　　그러므로 다음과 같은 명제를 제시할 수 있습니다.

【'자기원인'으로 존재하는 '무극이태극'(無極而太極)】

선험(先驗)분석(分析)의 리(理)로 존재하는 '무극이태극'(無極而太極) 또는 '본체'(本體)는 영원의 필연성 안에서 본래부터 존재하는 것이며, 그러한 한에서 이 존재는 자기 존재에 관하여 자기가 원인으로 존재하는 '자기원인'이다.

4. '단 하나'로 존재하는 實體, 無極而太極
실 체   무 극 이 태 극

자기원인은 자기 존재에 관하여 자기가 원인이면서 동시에 결과입니다. 이 사실에 근거하여 우리가 다시 생각해 보면, 자기원인은 자기 존재에 관하여 절대적으로 '단 하나'로 존재해야 합니다. 자기 스스로 자기 존재를 결정할 때, 이것으로 존재하는 '자기'가 두 개라면 인과의 필연성은 우연성이 됩니다. 그러나 필연성은 절대성과 짝이 되지만, 우연성은 절대성과 짝이 될 수 없습니다. 무엇보다도 우리 몸의 존재에 관한 한 '엄마 한 사람'과 '아빠 한 사람'이 영원의 필연성으로 분명하기 때문에 자기원인은 절대적으로 '단 하나'로 존재합니다. 엄마와 아빠는 두 사람 같지만, 이 두 몸이 서로 사랑(sex)하지 않으면 절대적으로 지금 내 몸이 생겨날 수 없습니다. 이 사랑 안에서 '서로 다른' 몸은 본래 '하나'의 몸입니다.

자기원인은 자신의 존재를 위하여 자기 존재 이외 그 어떤 것도 요구하거나 의존하지 않습니다. 철두철미 자기 스스로 원인이며 동시에 자기 스스로 결과인 것이 자기원인이기 때문에 오직 이 사실로부터 자기원인은 자기 존재 이외 그 어떤 다른 것의 존재를 용납하지

않습니다. 영원의 필연성 안에서 본래부터 존재하는 자기원인은 자기 홀로 단 하나로 존재합니다. 자기원인에 고유한 본성 및 그것으로부터 연역되는 자기원인의 단일성을 감정과학은 '실체'(實體)라고 정의합니다.

【실체에 대한 정의】
　　자기 존재에 관하여 자기가 원인으로 존재하는 '자기원인'은 본래부터 반드시 존재하는 것이며, 그렇기 때문에 존재하지 않는다고 생각될 수 없다. 이러한 진실로 존재하는 것이 '단 하나의 실체'이다. 따라서 선험(先驗)분석(分析)의 리(理)로 존재하며 이해되는 '무극이태극'(無極而太極) 또는 '본체'(本體)는 '단 하나'로 존재하는 '실체'이다.

無極而太極(本體)가 단 하나의 실체로 존재한다는 사실을 주자도 다음과 같이 밝힙니다.

[1-0-1-11 『완역 성리대전』]
問: 無極且得做無形無象說.
曰: 雖無形, 却有理.
又問: 無極太極只是一物.
曰: 本是一物, 被他恁地說, 却似両物.
물었다. "무극은 우선 형상이 없다고 말할 수 있습니다."
(주자가) 답하였다. "비록 형상은 없으나 도리어 리는 있다."
또 물었다. "무극과 태극은 다만 한 물건일 뿐입니다."
(주자가) 답하였다. "본래 한 물건인데, 그렇게 말하니 도리어 두 물건인 것 같다."

無極而太極(本體)는 선험분석의 리(理)로 존재합니다. 그렇기 때문에 감각적 현상으로 지각되는 종합이 아닙니다. 영원의 필연성 안에서 본래부터 존재하는 자기원인이 분명하지만, 그것은 감각적 현상으로 지각되는 것이 아닙니다. "비록 형상은 없으나 도리어 리는 있다."는 주자의 논설이 이를 증명합니다. 다음으로, 자기원인은 단 하나의 실체로 존재한다고 앞에서 정리했습니다. 이 정리를 "본래 한 물건"이라는 주자의 대답에서 확인할 수 있습니다. 無極而太極은 자기원인으로 존재하는 것이므로 우리가 비록 이 존재를 감각으로 지각할 수 없다고 해도 이것은 영원의 필연성으로 존재합니다. 내 몸을 낳은 엄마의 몸과 아빠의 몸이 영원의 필연성으로 존재한다는 것과 같습니다.

자기원인으로 존재하는 無極而太極이 단 하나의 실체로 존재한다는 사실은 영원의 필연성 안에 있기 때문에 절대적으로 변하지 않습니다. 여기에는 그 어떤 우연성이나 가능성이 개입되지 않습니다. 無極而太極이 자기원인으로 존재한다는 사실은 영원불변입니다. 이 실체는 선험분석으로 존재하는 것이기 때문에 공간과 시간의 한계 안에서 감각적 현상으로 지각될 수 없으며, 그러한 한에서 공간과 시간의 변화로 지각되는 것이 아닙니다. 주자도 이 사실을 다음과 같이 확인합니다.

[1-0-1-14 『완역 성리대전』]
問: 無極而太極固是一物, 有積漸否?
曰: 無積漸.
물었다. "'무극이면서 태극이다.'는 본래 한 물건인데, 점차 변해가는 것입니까?"

(주자가) 답하였다. "점차 변해가는 것은 없다."

그러므로 단 하나의 실체로 존재하는 無極而太極이 종합으로 존재하지 않는다는 사실, 그리고 이 사실로부터 당연히 이것은 종합으로 이해되지 않는다는 것은 명백합니다. 이것은 오직 분석으로 존재하기 때문에 오직 분석으로 이해됩니다. 또한 이 존재는 자기원인의 실체이기 때문에 그것의 장르는 선험입니다. 그렇기 때문에 다음과 같은 결론은 영원으로부터 영원에 이르는 영원의 필연입니다. 無極而太極(本體)에 대해서 장르 분석을 하면, 그것은 '선험분석'입니다. 이 사실로부터 이 존재는 자기원인의 실체이며 이 사실은 절대적으로 변화하지 않습니다.

5. 後驗에도 존재하는 先驗分析의 實體

無極而太極(本體)는 자기원인의 실체입니다. 이것은 자기 존재에 관하여 자기가 원인이며 동시에 결과입니다. 그러나 이 존재는 그저 자기원인으로만 존재하지 않습니다. '원인'은 '결과'를 산출하는 존재입니다. 자기원인은 자기 존재에 근거하여 필연적으로 결과를 산출합니다. 이 주제를 '엄마의 몸'과 '아빠의 몸'으로 이해하면 매우 간단하고 쉽습니다. 지금 '나'의 몸에 나아가 생김의 진실을 분석으로 이해하면, 영원무한의 필연성 안에서 자기원인으로 존재하는 엄마의 몸과 아빠의 몸을 분명하게 확인합니다. 자기원인으로 존재하는 이 몸이 지금의 내 몸을 낳았습니다. 이처럼 자기원인은 필연적으로 자기 본성을 따라서 결과를 산출합니다.

방금 우리는 단 하나의 실체로 존재하는 '자기원인'인 無極而太極(本體)를 지금 우리 자신의 몸에 나아가 이해할 때, 이것은 사실상 '엄마의 몸과 아빠의 몸'으로 존재한다는 사실을 확인했습니다. 이 지점에서 다음과 같은 질문을 상상할 수 있습니다.

자기원인은 단 하나의 실체로 존재한고 했는데, 이것을 엄마의 몸과 아빠의 몸으로 이해한다는 것은 단 하나의 실체를 서로 다른 두 개의 실체로 이해하는 것이 아닙니까?

이 물음에 대한 답을 찾는 방법은 우리 스스로 우리 자신의 몸에 나아가 '생김'에 대해서 다시 생각해보는 것입니다. 지금 '나'의 몸이 존재하기 위해서는 반드시 엄마의 몸과 아빠의 몸이 존재해야 합니다. 엄마의 몸 하나는 절대적으로 지금 '나'의 몸을 낳을 수 없습니다. 아빠의 몸도 마찬가지입니다. 그렇기 때문에 지금 '나'의 몸이 존재하기 위해서는 단 하나의 '엄마의 몸'과 단 하나의 '아빠의 몸'이 반드시 존재해야 합니다. 그런데 이 결론에서 다시 생각해 보면, 엄마의 몸과 아빠의 몸은 완전히 서로 다른 것임에도 불구하고 동시에 완전히 하나라는 것을 알 수 있습니다. 엄마의 몸과 아빠의 몸은 서로 다르지만 서로 다른 이 두 몸은 반드시 사랑(sex)를 해야 합니다. 여기에서 보면 본래 서로 다른 둘은 본래 하나입니다.

이 논의는 계속해서 강조한 바와 같이 '분석'에 기초합니다. 절대적으로 '종합'에서 나오는 것이 아니라는 사실을 반드시 명심해야 합니다. 지금까지 논의한 엄마의 몸과 아빠의 몸, 그리고 서로 다른 이 두 몸의 사랑(sex)는 절대적으로 종합에 기초하지 않습니다. 공간과 시간의 한계 안에서 감각적으로 지각되는 여성으로서 엄마의 몸과 남성으로서 아빠의 몸, 그리고 서로 다른 두 몸의 사랑(sex)를 논하는 것이 아닙니다. 지금 이 공간과 이 시간에 존재하고 있는 '나'의 몸에 나아가 '나' 스스로 생각해 보면, 영원의 필연성 안에서 자기원인으로 존재하는 엄마의 몸과 아빠의 몸을 확인함과 동시에 서로 다른 두 몸이 영원의 필연성 안에서 사랑(sex)하고 있다는 사실을 자명하게 이해합니다. 철저히 분석에 뿌리를 둡니다.

영원의 필연성 안에서 자기원인으로 존재하는 엄마의 몸과 아빠의 몸은 완전히 서로 다른 두 개의 몸이지만, 동시에 서로 다른 엄마의 몸과 아빠의 몸은 영원의 필연성 안에서 사랑(sex)만을 합니다. 절대적으로 이 사랑을 떠나서 두 개로 나누어지지 않습니다. 우리가 이 사실을 분명히 이해한다면, 자기원인에 고유한 본질로서 단 하나의 실체는 사실상 엄마의 몸과 아빠의 몸을 하나로 확인하는 '사랑'(sex)입니다. 왜냐하면 이 사랑 안에서 서로 다른 엄마의 몸과 아빠의 몸은 '완전히 둘이면서 완전히 하나'이기 때문입니다. 이점을 명확히 하고 보다 더 중요한 논의로 들어가겠습니다.

지금 '나' 자신에게 명백한 사실은 '나'라는 존재는 '생명의 몸'으로 생겨났다는 사실입니다. 우리 모두는 생명의 몸으로 태어나서 지금 이 순간을 생명의 몸으로 살아가고 있습니다. 그런데 지금 '나'의 생명의 몸은 영원의 필연성 안에서 자기원인으로 존재하는 단 하나의 실체로서 엄마의 몸과 아빠의 몸 그리고 이 두 몸을 하나로 확인하는 사랑(sex)에 의해서 존재하도록 결정되었습니다. 이 결정에 고유한 영원의 필연성에 기초하여 우리 스스로 생각해 보면, 지금 내 몸의 생명은 당연히 엄마의 몸에 고유한 생명과 아빠의 몸에 고유한 생명에서 기원합니다. 그리고 이 생명의 진실은 영원의 필연성 안에서 단 하나로 존재하는 실체이기 때문에 절대적으로 생명, 즉 '영원무한의 생명'이 확실합니다.

우리는 이제 영원무한의 생명이 영원의 필연성 안에서 자기원인으로 존재하고 있다는 사실, 그리고 이것은 단 하나의 실체로 존재하고 있다는 사실을 확인했습니다. 다시 강조합니다. 우리가 확인한 영원무한의 생명은 절대적으로 종합으로 이해되는 것이 아닙니다. 즉, 공간과 시간의 지속을 영원무한으로 늘린 결과 확인된 것이 절대 아니라는 뜻입니다. 지금 '나'의 몸에 나아가 몸-생김에 고유한 본성을 '나' 스스로 생각해 보면, '나'의 생각 안에서 자명하게 영원무한의 생명으로 존재하는 엄마의 몸과 아빠의 몸을 이해합니다. 그런데 이 몸은 서로 다름에도 불구하고 사랑(sex) 안에서 본래 하나로 존재합니다. 그렇다면 이 사랑은 영원무한의 생명을 가진 서로 다른 두 개의 몸을 단 하나의 몸으로 확인하기 때문에, 당연히 이 사랑은 '영원무한의 생명'을 본성으로 갖는 '영원무한의 사랑'입니다.

이제 우리는 영원무한의 생명과 사랑이 자기원인으로 존재하는 단 하나의 실체인 엄마의 몸과 아빠의 몸 그리고 이 두 몸을 본래 하나로 확인하는 사랑(sex)의 진실로 명백하게 이해합니다. 영원무한의 생명과 사랑이 영원의 필연성 안에 존재하며, 이 생명과 사랑이 지금 '나'의 몸을 생명의 몸으로 존재하도록 결정했습니다. 그런데 우리는 이 진실을 지금 우리 자신의 몸에 나아가 우리 스스로 자명하게 이해했습니다. 이 사실로부터 영원무한의 생명과 사랑은 지금 우리 자신의 몸 안에 존재하며, 그것은 사실상 우리 몸에 고유한 그 자체의 본성으로 존재합니다. 영원무한의 생명과 사랑이 지금 우리 몸을 떠나 별도로 존재하지 않습니다.

이 사실은 매우 중요합니다. 요약하면 다음과 같습니다.

① 영원무한의 생명과 사랑이 영원의 필연성 안에서 단 하나인 자기 원인의 실체로 존재하며, 이 존재가 지금 '나'의 몸을 생명의 몸으로 낳았다. 지금 '나'의 몸은 영원무한의 생명과 사랑 안에 존재한다.

② 지금 '나'의 몸 안에 몸-생김의 선험분석인 영원무한의 생명과 사랑이 존재한다. 지금 '나'의 몸을 떠나서 단 하나의 실체로서 자기원인에 고유한 영원무한의 생명과 사랑이 존재하지 않는다.

위의 요약에 근거하여 우리는 無極而太極(本體)와 우리 몸의 생김에 고유한 본성으로서 엄마아빠의 사랑, 즉 영원무한의 생명과 사랑이 본질적으로 서로 다른 것이 아니라는 결론을 연역할 수 있습니다. 왜냐하면 우리가 無極而太極(本體)를 단 하나의 실체인 자기원인으로 확인한 이상, 지금 우리 자신의 몸에 나아가 몸 그 자체의 본성으로 존재하는 영원무한의 생명과 사랑을 단 하나의 실체인 자기원인으로 확인하는 한에서 이 둘은 본질에 관하여 서로 다른 것일 수가 없기 때문입니다. 만약 이 사실을 부정하면 서로 다른 두 개의 실체가 존재한다는 결론이 나오는데, 이는 그 자체로 터무니없는 것입니다.

우리는 지금까지 전개된 핵심 내용을 다음과 같은 명제로 정리할 수 있습니다.

【단 하나의 실체】

　　無極而太極(本體)를 우리 자신의 몸에 근거하여 이해하는 한에서 단 하나의 실체로 존재하는 자기원인(無極而太極)은 실질적으로 몸-생김 그 자체에 고유한 본성으로서 영원무한의 생명과 사랑이다. 따라서 '指其本體'(지기본체)는 몸-생김 그 자체에 고유한 본성인 영원무한의 생명과 사랑을 지금 우리 자신의 몸에 나아가 그 자체의 본성으로 명백하게 이해하는 것이다.

　　영원의 필연성 안에서 영원무한의 생명과 사랑이 지금 '나'의 몸을 생명으로 낳았습니다. 그렇다면 내 몸에 고유한 본성의 진실은 영원으로부터 영원에 이르는 영원성으로 영원무한의 생명과 사랑입니다. 지금 '나'의 몸은 공간과 시간 속에 존재하며 공간과 시간을 살아갑니다. 그런데 지금 '나'의 몸에 고유한 생김의 본성은 영원의 필연성으로 영원무한의 생명과 사랑입니다. 우리가 이 사실을 우리 자신의 몸에서 확인한다면, 지금 '나'의 공간과 시간을 지금 '나'의 몸으로 살아간다고 할 때, 엄밀히 말해서 '나'의 몸은 공간과 시간의 한계 안에 존재하는 것이 아니라 영원무한의 생명과 사랑 안에 존재합니다.

　　이 사실로부터 다음과 같은 명제가 진리의 필연성 안에 존재한다는 사실은 명백합니다.

　　【후험에도 존재하는 몸-생김의 선험분석】

　　몸-생김의 진실이 영원무한의 생명과 사랑이기 때문에 이 진실은 몸-놀이에도 존재한다. 왜냐하면 생김의 몸으로 놀이를 하는 이상, 몸-생김의 진실이 곧 몸-놀이의 진실이기 때문이다.

후험(後驗)은 공간과 시간 안에 있습니다. 즉, 후험은 종합의 세상입니다. 그런데 방금 우리는 후험에도 선험분석이 존재한다는 사실을 확인했습니다. 선험분석이 후험에도 존재하고 있다면, 당연히 선험분석을 품고 있는 후험에 대한 이해는 종합이 아닌 분석에 기초해야 합니다. 또한 엄격히 말해서 우리가 선험분석을 명석판명하게 이해하고 그에 근거하여 후험을 분석으로 이해하는 한에서 후험은 공간과 시간 속에 갇힌 것이 아니라 영원무한의 생명과 사랑 안에 존재합니다. 그렇기 때문에 후험에 대한 올바른 이해는 종합에 근거하는 것이 아니라 분석에 근거하는 것입니다.

몸-놀이의 진실이 영원무한의 생명과 사랑 안에 있다는 사실 그리고 오직 이 사실만으로 몸-놀이가 이루어지도록 결정되었다는 사실을 알 때, 공간과 시간 속에서 일어나는 모든 몸-놀이를 올바르게 이해할 수 있습니다. 몸-놀이는 공간과 시간의 감각적 현상으로 이해되지 않습니다. 이상의 논의를 요약하면 다음과 같습니다.

① 無極而太極(本體)는 자기원인으로 존재하는 단 하나의 실체이다. 즉, '선험분석'으로 존재한다.

② 無極而太極(本體)는 몸-생김 그 자체의 본성으로서 영원무한의 생명과 사랑이다.

③ 無極而太極(本體)의 본질로서 영원무한의 생명과 사랑은 몸-생김 그 자체의 본성이면서 동시에 몸-놀이 그 자체의 본성이다. 즉, '후험분석'으로 존재한다.

'선험분석'으로 존재하는 단 하나의 실체로서 자기원인(無極而太極)이 그와 동시에 '후험분석'으로 존재하고 있다는 사실이 매우 중요합니다. 영원무한의 생명과 사랑은 '몸-생김'의 선험 안에 갇힌 것이 아니라 '몸-놀이'의 후험에 고유한 그 자체의 본성으로 존재합니다. 이 사실을 주자도 다음과 같이 확인합니다.

[1-0-1-18 『완역 성리대전』]

謂之無極, 正以其無方所形狀. 以爲在無物之前, 而未嘗不立於有物之後, 以爲在陰陽之外, 而未嘗不行於陰陽之中, 以爲通貫全體無乎不在, 則又初無聲臭影響之可言也.

(주자가 말했다.) "무극이라고 말한 것은 바로 위치나 모양이 없기 때문이다. 물건이 있기 이전에 있는 것으로 여기지만 물건이 있은 다음에도 있지 않은 적이 없고, 음양의 밖에 있는 것으로 여기지만 음양 속에서 운행하지 않은 적이 없고, 전체를 관통하여 없는 곳이 없는 것으로 여긴다면, 또한 애당초 말할 만한 소리나 냄새 같은 것은 없다."

주자는 "물건이 있기 이전에 있는 것으로 여기지만 물건이 있은 다음에도 있지 않은 적이 없고"라고 분명히 말했습니다. "물건이 있기 이전"은 몸-생김의 선험이며, "물건이 있은 다음"은 몸-놀이의 후험입니다. 그러나 이것은 분석으로 존재합니다. "전체를 관통하여 없는 곳이 없는 것으로 여긴다면, 또한 애당초 말할 만한 소리나 냄새 같은 것은 없다."는 것이 이 사실을 확인합니다. 전체를 관통한다는 것은 無極而太極이 몸의 생김과 놀이에 일관하여 존재한다는 것이며, 소리나 냄새 같은 것이 없다는 것은 이 존재가 철저히 종합이 아닌 분석으로 이해된다는 것을 뜻합니다.

그러므로 다음과 같은 결론은 필연적입니다.

선험분석(先驗分析)의 실체(實體)는 후험분석(後驗分析)으로 존재한다. 즉, 영원무한의 생명과 사랑은 몸-생김의 본성이면서 동시에 몸-놀이의 본성이다. 따라서 우리가 몸으로 생겨나서 몸으로 살아가는 한에서 우리는 영원무한의 생명과 사랑 안에서 존재하고 활동하도록 영원무한의 생명과 사랑에 의해서 영원의 필연성으로 결정되어 있다.

2장. '先驗(性)-分析(理)'의 動靜

1. 實體의 變容

2장이 다루는 주제를 본격적으로 다루기 이전에 바로 앞 1장에서 다룬 핵심 개념어로서 실체(實體)에 대한 개념을 명확히 정리하겠습니다.

【실체(實體)의 개념 정의】
'실체'(實體)란, '無極而太極'(무극이태극) 또는 '本體'(본체)이다. 이것의 장르는 '몸-생김'에 고유한 본성으로서 '선험분석'(先驗分析)의 성리(性理)이다. 성리(性理)는 자기 존재에 관하여 영원의 필연성으로 자기가 원인이며 동시에 결과인 단 하나의 실체이다. 우리가 이 실체를 몸-생김의 본성으로 이해하는 한에서 이 존재는 본래부터 서로 다른 엄마의 몸과 아빠의 몸이 본래부터 단 하나의 몸으로 존재하고 있다는 사실을 확인하는 영원무한의 생명과 사랑이다. 이 생명과 사랑이 몸-생김의 진실이기 때문에 이 진실은 당연히 몸-놀이의 진실로 존재한다. 선험분석(先驗分析)의 성리(性理)는, 우리가 후험(後驗)을 감정(情)으로 정의하는 한에서, '후험분석'(後驗分析)의 정리(情理)이다.

우리는 반드시 영원무한의 사랑(sex)이 무엇인지 분명하게 이해해야 합니다. 이 사랑은 '종합'으로 이해되지 않습니다. 공간과 시간의 한계 안에서 감각적 현상으로 지각되는 남녀의 사랑(sex)이 아닙니다. 영원무한의 생명으로 존재하는 엄마의 몸과 아빠의 몸이 본래 하나라는 사실을 증명하는 것은 사랑(sex)입니다. 이 사랑은 공간과 시간 속의 사건이 아니라 지금 우리 자신의 몸에 대해서 우리 스스로 생각해 보면 자명하게 이해하는 영원무한입니다. 영원무한의 생명으로 존재하는 서로 다른 두 개의 몸이 진실로 존재하며, 이 몸은 영원무한의 사랑(sex) 안에서 본래 하나의 몸입니다. 영원무한의 생명과 사랑 안에서 엄마의 몸과 아빠의 몸이라는 서로 다른 두 개의 몸이 영원의 필연성으로 존재합니다.

우리가 영원무한의 생명과 사랑을 이와 같이 이해하는데 성공하면, 이 생명과 사랑은 '관념론'도 아니며 '유물론'도 아닙니다. 철저히 '관념'이면서 동시에 철저히 '유물'입니다. 영원무한의 생명과 사랑은 지금 우리 자신의 몸에 나아가 우리 자신이 스스로 생각함으로써 영원의 필연성으로 확인한 것입니다. 철저히 '관념'입니다. 그러나 이 생명은 몸의 진실이며 동시에 이 사랑은 몸이 하는 것입니다. 영원무한의 생명 안에서 영원무한의 생명으로 존재하는 완전히 서로 다른 두 개의 몸이 존재하며, 이 두 개의 몸은 영원무한의 사랑 안에서 오직 영원으로부터 영원에 이르는 영원성으로 사랑(sex)만을 합니다. 철저히 '유물'입니다.

영원무한의 생명이 영원무한의 사랑(sex) 안에 존재합니다. 이 사랑은 관념이 아닙니다. 진실로 존재하는 엄마의 몸과 아빠의 몸이 하는 사랑이기 때문에 정말 'sex'입니다. 'sex'는 움직임과 고요함으로 이루어집니다. 이 대목에서 우리는 남녀의 'sex'(동성의 'sex'도 이와 다르지 않습니다.)를 상상해도 됩니다. 오직 관념으로 이해하는 이 'sex'는 철저히 유물입니다. 서로 다른 두 개의 몸이 'sex'를 할 때, 여기에는 영원무한의 '움직임'(動)과 '고요함'(靜)이 있습니다. 이 'sex'를

동정(動靜)으로 이해할 때 그에 고유한 본성을 다음과 같이 정리할
수 있습니다.

① sex는 동(動)과 정(靜)으로 나누어진다.
: 서로 다른 두 개의 몸이 동시에 움직(動)이면, 'sex'를 할 수 없다.
반대의 경우도 마찬가지이다. 남녀의 몸이 동시에 고요(靜)하면 'sex'를
할 수 없다. 어느 한쪽이 움직(動)이면, 다른 한쪽은 고요(靜)하다.

② 'sex'의 동(靜)은 정(靜) 안에 있으며, 동시에 'sex'의 정(靜)은 정
(動) 안에 있다.
: 어느 한쪽의 움직임(動)은 다른 한쪽의 고요함(靜) 안에 있으며, 그
렇기 때문에 반대로 고요함(靜)은 움직임(動) 안에 있다.

③ 'sex'의 동(靜)은 정(靜)에서 그치며, 다시 정(靜)은 동(動)에서 그
친다.
: 남녀가 'sex'를 할 때 어느 한쪽의 움직임은 고요함에서 멈추고,
다시 고요함은 움직임에서 멈춘다.

④ 이 'sex'의 진실은 영원무한의 생명으로 존재하는 서로 다른 두
개의 몸, 즉 엄마의 몸과 아빠의 몸이 하는 사랑이다.

⑤ 그러므로 이 사랑의 장르는 분석이지 종합이 아니다. 또한 이 사
랑은 '나'의 몸에 고유한 생김의 진실이기 때문에 '선험'이다. 이로부터
이 사랑은 '선험분석'으로 존재하고 있다는 결론이 나온다.

이상, 無極而太極(本體)에 고유한 사랑(sex)의 진실을 다섯 가지로

정리할 수 있습니다. 중요한 것은 이 사랑(sex)는 영원무한으로 동정 (動靜)의 사랑을 하며, 이 사랑으로부터 필연적으로 지금 '나'의 몸이 생겨나게 되었다는 사실입니다. 이 사실을 주자도 다음과 같이 확인합니다.

[1-0-1-20 『완역 성리대전』]

天地之間, 只有動靜両端循環不已, 更無餘事此之謂易. 而其動其静則必有所以動靜之理, 是則所謂太極者也

(주자가 말했다.) "하늘과 땅 사이에는 다만 움직임과 가만있음의 두 끝이 있어서 순환하기를 그치지 않을 뿐 더 이상 다른 일은 없으니, 이 것을 역이라 한다. 그 움직임과 가만있음에는 반드시 움직이고 가만있게 하는 리가 있으니, 이것이 이른바 태극이다."

태극(太極)은 동정(動靜)을 초월하여 홀로 존재하는 것이 절대 아닙니다. "하늘과 땅 사이에는 다만 움직임과 가만있음의 두 끝이 있어서 순환하기를 그치지 않을 뿐 더 이상 다른 일은 없으니"는 엄마와 아빠의 사랑(sex)입니다. 하늘은 아빠를 내포하며, 땅은 엄마를 내포합니다. 이 둘 사이에 동정(動靜)의 순환이 끝없다는 것은 '사랑'(sex)의 영원무한을 뜻합니다. 일반적으로 남녀의 sex에서 남자는 위에 있으며 여자는 아래에 있습니다. 이를 근거로 생각해 보면, 남자는 '위'를 뜻하는 '하늘'이고 여자는 '아래'를 뜻하는 '땅'입니다. 그렇기 때문에 '남자는 하늘, 여자는 땅.'이라고 말할 때 이는 가치의 문제가 아니라 sex의 동정(動靜)을 설명하는 구조라고 봐야 합니다.

다음으로 우리가 반드시 생각해야 하는 것은 무엇이 두 남녀의 몸으로 하여금 sex의 동정(動靜)을 하게 하느냐의 문제입니다. 사실상 여기에는 어떤 목적이 없습니다. 지금 존재하는 '나'의 몸에 나아가 '나' 스스로 생김의 본성에 대해서 생각해 보면, 완전히 서로 다른 두 남녀의 몸, 즉 엄마의 몸과 아빠의 몸은 영원무한의 생명 안에서 영원무한의 사랑을 합니다. 이 진실에 근거하여 엄마아빠의 sex를 생각해 보면, 영원무한의 생명으로 존재하는 엄마의 몸과 아빠의 몸은 영원무한으로 사랑하며, 이 사랑은 몸의 사랑이 분명하기 때문에 실질적으로 동정(動靜)의 영원무한입니다.

영원무한의 사랑이 영원무한의 생명으로 존재하는 엄마의 몸과 아빠의 몸으로 하여금 영원무한으로 동정(動靜)하게 합니다. 이 사실을 주자는 "그 움직임과 가만있음에는 반드시 움직이고 가만있게 하는 리가 있으니, 이것이 이른바 태극이다."라고 분명히 말했습니다. 이는 영원무한의 생명으로 존재하는 엄마의 몸과 아빠의 몸이 영원무한의 사랑 안에서 동정(動靜)의 sex를 영원무한으로 한다고 말할 때, 이 말을 엄마아빠의 sex를 공간과 시간의 종합으로 지각되는 감각적 현상으로 이해해서는 안 된다는 것을 뜻합니다. 이 sex는 오직 분석으로 존재하며 그렇기 때문에 분석으로 이해됩니다. 주자가 "반드시 움직이고 가만있게 하는 리가 있으니"라고 말한 까닭입니다.

이 sex는 관념도 아니며 유물도 아닙니다. 철저히 관념이면서 철저히 유물입니다. 영원무한의 생명으로 존재하는 엄마의 몸과 아빠의 몸이 영원의 필연성으로 존재합니다. 그러나 본래 서로 다른 이 두 개의 몸은 본래 서로 다른 두 개의 몸이 아닙니다. 영원무한의 생명 안에서 엄마의 몸이 영원무한의 생명으로 존재하며 아빠의 몸이 영원무한의 생명으로 존재합니다. 이 진실 안에서 영원무한의 생명은 동시에 영원무한의 sex입니다. 영원무한의 sex 안에서 영원무한의 생명으로 존재하는 엄마의 몸과 아빠의 몸은 본래 다른 두 개의 몸이면서 동시에 본래 같은 하나의 몸으로 존재합니다. 이러한 방식으로 존재하는 몸이 이러한 방식으로 sex을 합니다. 이것이 진실로 존재합니다.

그러므로 자기원인으로 존재하는 실체로서 無極而太極의 동정(動靜)에 대한 다음과 같은 주자의 설명은 지극히 당연한 것입니다.

[1-0-1-21 『완역 성리대전』]
無極而太極, 人都想像有箇光明閃爍底物在那裏, 却不知本是說無這物事, 只是有箇理能如此動靜而已

(주자가 말했다.) "'무극이면서 태극이다.'를 사람들은 모두 빛나고 번쩍이는 것이 그 속에 있는 것으로 상상하며, 도리어 본래 '이런 것은 없고 다만 리가 있어서 이렇게 동정하게 한다.'고 말한 것을 알지 못한다.

無極而太極(本體)는 영원무한의 생명이 하는 사랑(sex)이기 때문에 반드시 sex에 고유한 동정(動靜)의 운동을 하며, 이 운동으로부터 필연적으로 지금 '나'의 몸이 생겨납니다. 이 생명과 사랑에 고유한 본성은 '선험분석'이지(당연히 이 본성으로부터 '후험분석'이 연역됩니다.), 절대적으로 '종합'이 아닙니다. 이처럼 지금 '나'의 몸을 낳는 실체로서 無極而太極의 sex에 고유한 동정(動靜)을 '실체(實體)의 변용(變容)'이라 합니다.

2. 實體, 그리고 實體의 變容
실체   실체 변용

이 주제를 구체적으로 전개하기 이전에 지금까지 논의한 것을 토대로 '실체'와 '실체의 변용'에 대한 개념 정의를 제시하겠습니다.

【'실체'에 대한 개념 정의】
'실체'(實體)란 영원무한의 생명과 사랑으로 존재하는 '단 하나의 실체로서 자기원인'인 無極而太極이다.

【'실체의 변용'에 대한 개념 정의】
'실체(實體)의 변용(變容)'이란 영원무한의 생명으로 존재하는 無極而太極의 사랑(sex)이며, 이 사랑은 자신의 영원무한 안에서 '동정'(動靜)의 운동인 'sex'를 영원무한으로 한다.

위와 같이 '실체'와 '실체의 변용'을 구분하면, 이 둘은 서로 다른 것이 아님에도 불구하고 다른 한편으로 엄격한 구분이 있다는 것을 알 수 있습니다. 왜냐하면 실체 그 자체에 고유한 본성으로서 영원무한의 생명과 사랑이 분명하지 않으면 실체의 사랑으로서 sex의 동정(動靜)을 종합의 감각적 현상으로 이해하게 되는 오류를 범하기 때문입니다.

주자도 이 구분을 분명하게 제시합니다.

[1-0-1-22 『완역 성리대전』]
動靜非太極, 而所以動靜者, 乃太極也. 故謂非動靜外別有太極則可. 謂動靜便是太極之道則不可.

(주자가 말했다.) "동정은 태극이 아니고, 동정하게 하는 것이 곧 태극이다. 그러므로 '동정 밖에 별도로 태극이 있는 것은 아니다.'고 하면 괜찮으나, '동정이 바로 태극의 도이다.'고 하면 안 된다."

"동정 밖에 별도로 태극이 있는 것은 아니다."라고 말하는 것은 좋다고 했습니다. 無極而太極은 영원무한의 생명이 하는 영원무한의 사랑입니다. '나'의 몸을 생기게 하는 단 하나의 원인으로서 엄마의 몸과 아빠의 몸이 진실로 'sex'를 합니다. '나'는 이 sex를 감각적 현상으로 경험할 수 없지만, '나' 자신이 '나'의 몸에 나아가 '나' 스스로 생각해 보면, 엄마의 몸과 아빠의 몸은 반드시 sex의 동정(動靜)을 해야 합니다. 그렇기 때문에 이 sex의 동정을 떠나서 無極而太極이 존재하지 않습니다. 그러나 "'동정이 바로 태극의 도이다.'라고 하면 안 됩니다. 왜냐하면 여기에서 말하는 sex의 동정은 영원무한의 생명과 사랑으로 존재하는 無極而太極 안에 있기 때문입니다.

영원무한의 생명과 사랑이 진실로 존재합니다. 이 사랑이 무엇인지 구체적으로 이해할 때, 이 사랑은 영원무한 안에서 sex의 동정(動靜)을 합니다. 영원무한의 생명 안에서 서로 다른 몸으로 존재하는 엄마의 몸과 아빠의 몸은 영원무한의 사랑 안에서 영원무한으로 sex의 동정을 합니다. 그렇기 때문에 여기에서 말하는 sex의 동정은 몸이 하는 sex의 동정이 분명하지만, 이때의 몸은 영원무한의 생명으로 존재하는 완전히 서로 다른 두 개의 몸이며, 이렇게 존재하는 몸이 영원무한의 사랑으로 sex의 동정을 합니다.

선험분석(先驗分析)의 몸-생김 안에서 영원무한의 생명과 사랑으로 존재하는 無極而太極이 'sex'의 동정(動靜)을 합니다. 이것으로

'실체'와 '실체의 변용'을 구분해야 합니다. 이렇게 보면 실체 그 자체에 고유한 본성은 영원무한의 생명과 사랑이며, 실체가 자신의 본성을 따라서 하는 sex의 동정은 실체가 자신의 본성으로 하는 sex입니다. 이 sex가 지금 '나'의 몸을 존재하게 했습니다. 이처럼 '실체'와 '실체의 변용'을 구분하기 위해서 주자는 실체의 사랑이 자기 안에 품고 있는 sex의 동정을 '기'(氣)라고 부릅니다.

[1-0-1-23 『완역 성리대전』]

曰: 動靜是氣也. 有這理為氣之主, 氣便能如此否?

曰: 是也. 既有理, 便有氣. 便有氣, 則理又在乎氣之中.

물었다. "동정은 기입니다. 이 리가 있어서 기의 주인이 되면, 기가 바로 이와 같을 수 있습니까?"

(주자가) 답했다. "그렇다. 이미 리가 있으면 바로 기가 있다. 이미 기가 있으면 리는 또 기 속에 있다."

단 하나의 실체로 존재하는 無極而太極은 자기 존재에 관하여 자기가 원인이며 동시에 결과인 '자기원인'이므로 그 자체의 속성은 영원무한의 생명과 사랑입니다. 본래부터 존재하는 것이므로 영원무한의 생명이며, 자기 존재를 자기 스스로 결정하며 오직 이 결정만으로 존재하기 때문에 영원무한의 사랑입니다. 이 생명과 사랑은 지금 '나'의 몸을 생기게 한 영원무한의 필연성이기 때문에 이 사실로부터 無極而太極은 '나'의 존재를 영원의 필연성으로 결정한 엄마아빠의 사랑입니다. 이 사랑은 영원무한의 생명으로 존재하는 서로 다른 엄마의 몸과 아빠의 몸이 영원무한으로 사랑하는 것인데, 이 사랑은 영원무한으로 이루어지는 'sex'의 동정입니다.

그러므로 다음과 같은 두 가지 개념이 정립됩니다.

　【실체 그 자체의 본성으로서 리(理)】

　無極而太極은 영원무한의 생명과 사랑이며, 이것은 선험분석이다. 따라서 이것은 리(理)로 존재한다.

　【실체의 변용으로서 기(氣)】

　無極而太極은 영원무한의 생명과 사랑 안에서 영원무한으로 sex의 동정(動靜)을 한다. 이것을 '리(理)의 기(氣)' 또는 '리(理) 안에 있는 기(氣)'라 한다. 따라서 기(氣)의 본성은 리(理)의 본성에서 나오며, 그러한 한에서 기(氣)의 원인은 리(理)이다. 이 사실로부터 기(氣)에 대한 참다운 이해는 당연히 리(理)에 근거하는 것이라는 결론이 나온다.

3. 實體의 變容에 앞서는 實體
　실체　변용　실체

　'실체'(實體)를 '리'(理), 그리고 '실체의 변용'(變容)을 理의 '기'(氣)로 정의하면, 이 둘 사이의 논리적 '선후'(先後) 관계는 분명합니다. 물론 지금 우리의 논의는 선험분석(先驗分析) 안에 있기 때문에 '선후'의 문제는 공간과 시간을 전제하지 않습니다. 즉, '종합'으로 이해될 수 없습니다. 그러나 선험분석의 리(理)로 존재하는 '실체'인 無極而太極은 실체의 변용으로서 'sex'의 동정(動靜)에 앞섭니다. 無極而太極이 존재해야 이것의 動靜이 존재할 수 있다는 것은 분석 안에서 자명한 논리적 선후(先後)를 확인하므로 당연히 無極而太極은 자신의 動靜에 앞섭니다.

주자도 無極而太極과 그것의 動靜 사이에 고유한 '선후'의 논리적 필연성을 다음과 같이 분명하게 언급합니다.

[1-0-1-45 『완역 성리대전』]
問: 先有理, 抑先有氣?
曰: 理未嘗離乎氣, 然理形而上者, 氣形而下者, 自形而上下言, 豈無先後. 理無形, 氣便有渣滓.

물었다. "리가 먼저 있습니까, 아니면 기가 먼저 있습니까?"

(주자가) 답했다. "리는 기를 떠난 적이 없다. 그러나 리는 형이상자이고, 기는 형이하자이니, 형이상과 형이하로 말하면 어찌 선후가 없겠는가? 리는 형체가 없고, 기는 곧 찌꺼기가 있다."

無極而太極을 理로 정의하고 그것의 動靜을 氣로 정의한다면, 당연히 理가 氣에 앞섭니다. 주자도 "형이상과 형이하로 말하면 어찌 선후가 없겠는가?"라고 말했습니다. 그에 이어서 "리는 형체가 없고, 기는 곧 찌꺼기가 있다."라고 주자는 말하는데, 이 말의 뜻을 오해하면 안 됩니다. 단 하나로 존재하는 영원무한의 생명 안에 엄마의 몸 하나와 아빠의 몸 하나가 존재합니다. 영원무한의 생명 안에서 서로 다른 두 개의 몸은 영원무한의 사랑 안에서 본래 하나의 몸으로 존재합니다. 이것이 선험분석 안에서 단 하나의 실체로 존재하는 자기원인으로서 無極而太極에 고유한 진실입니다. 이 진실이 '리'(理)입니다. 그리고 이 理 안에서 엄마의 몸과 아빠의 몸은 sex의 동정(動靜)을 영원무한으로 합니다.

이 sex는 영원무한의 생명으로 존재하는 '몸'이 영원무한의 사랑 안에서 진실로 하는 'sex'입니다. 단 하나의 실체를 구성하는 엄마의 몸과 아빠의 몸이 진실로 sex의 행위를 합니다. 이 행위가 理의 氣 입니다. 이렇게 '선험분석' 안에서 리기(理氣)를 구분하면, 우리에게 다음과 같은 결론은 필연적입니다.

선험분석(先驗分析)의 리(理)로 존재하는 단 하나의 실체로서 자기원 인인 無極而太極은 자기 안에 본래부터 기(氣)를 가지고 있다. 그리고 이 둘 사이에는 논리적 선후(先後)가 분명하다. 기(氣)는 철두철미 자신의 리(理)를 필연적으로 따른다.

선험분석의 理 안에 氣가 존재합니다. 선험분석의 理는 자기 안에 氣를 가지고 있습니다. 무엇보다도 이 사실이 매우 중요합니다. 선험 분석의 理는 절대적으로 氣를 초월하여 氣 없이 존재하는 것이 아닙 니다. 이 지점에서 우리는 본서의 「서문 2」에서 제시한 개념 정의 가운데 하나인 '선험종합'(先驗綜合) 또는 '성기'(性氣)에 관하여 살펴 볼 필요가 있습니다. 선험분석인 '理'가 자기 안에 품고 있는 '氣'와 성기(性氣)는 서로 다른 것일까요?

② 선험종합(先驗綜合) = 성기(性氣)
: 몸-생김의 본성인 엄마아빠의 사랑 이야기를 몸 자체의 본성으로 인식하는 것이 아니라 공간과 시간의 한계 안에서 감각적으로 지각되는 현상으로 이해하는 것.

선험분석의 理가 자기 안에 본래부터 품고 있는 氣는 영원무한의 생명으로 존재하는 엄마와 아빠의 몸이 영원무한의 사랑 안에서 몸과 몸이 서로 교차하는 'sex'의 동정(動靜)입니다. 우리가 이렇게 우리 자신의 몸에 나아가 理가 품고 있는 氣의 진실을 영원무한의 필연성 안에서 최고의 완전성으로 이해할 때, 마침내 우리는 지금 '나'의 몸을 낳은 'sex'로서 공간과 시간 속에서 엄마와 아빠의 몸이 한 'sex'에 대해서 묻고 배울 수 있습니다. 여기에는 수많은 곡절이 있을 수 있습니다. 그러나 그 수많은 sex의 현상인 성기(性氣)를 성리(性理)가 본래부터 자기 안에 품고 있는 기(氣)에 근거하여 이해할 수 있습니다. 그 결과 성기(性氣)의 'sex'는 성리(性理)가 품고 있는 氣를 따라서 이루어진다는 필연성을 깨닫습니다.

우리는 성기(性氣)의 sex에 고유한 진실을 다음과 같이 요약할 수 있습니다. 이 요약에 근거하여 우리는 '성기(性氣)의 'sex'는 성리(性理)가 품고 있는 氣를 따라서 이루어진다는 필연성'이 무엇인지 이해할 수 있습니다.

① 아빠의 몸은 오직 엄마의 몸과 'sex'한다. 엄마의 몸도 마찬가지이다. 성기(性氣)는 사랑의 영원무한을 지킨다. 이 진실은 성리(性理)의 기(氣)로부터 필연적이다.

② 아빠의 몸은 절대적으로 엄마의 몸을 부정하지 않는다. 엄마의 몸도 마찬가지이다. 성기(性氣)는 생명의 영원무한을 지킨다. 이 진실은 성리(性理)의 기(氣)로부터 필연적이다.

우리가 우리 자신의 몸에 나아가 無極而太極의 존재에 고유한 본성으로서 영원무한의 생명과 사랑을 이해하고(理) 이 생명의 사랑이 무엇인지 이해하면(氣), 진실로 우리 자신의 몸을 결정한 것은 無極而太極이 분명합니다. 이 분명한 사실 안에서 우리는 공간과 시간 속에서 무한한 방식으로 무한하게 이루어진 엄마아빠의 사랑(性氣)에 대해서 참답게 배울 수 있습니다. 여기에는 성리(性理)의 사랑(氣)을 따르는 사랑(性氣)이 있을 수 있으며, 그 반대로 이 사랑(氣)을 어기는 사랑(性氣)이 있을 수 있습니다. 이 모든 사랑을 性理의 사랑(氣) 안에서 배우는 한에서 자식으로 존재하는 우리는 사랑의 무한 속성을 무한히 배우며 뉘우치게 됩니다. 그 결과 오직 사랑만을 확인합니다.

이상의 논의로부터 지금 우리 자신의 행복을 위한 방법은 무엇보다도 몸-생김에 해당하는 선험(先驗)의 성(性)에 고유한 논리적 선후(先後)를 명백하게 이해하는 데에 있다는 것을 알 수 있습니다. 성기(性氣)는 성리(性理)의 기(氣)에 기원하며, 性理의 氣는 性理에 기원합니다. 이러한 수순의 논리에는 두 가지 중요한 점이 있습니다. 하나는 수순의 논리가 공간과 시간의 선후를 뜻하지 않는다는 것입니다. 다른 하나는 性理가 자기 안에 본래부터 氣를 가지고 있기 때문에 性氣는 철두철미 性理의 본성 안에 있는 氣를 따르며, 그러한 한에서 性氣도 본질적으로 性理 안에 존재하며 오직 이 본성만을 따른다는 것입니다. 이 진리를 '리발기수'(理發氣隨)로 요약합니다.

그러므로 다음과 같은 주자의 논설은 지극히 당연한 것입니다.

[1-0-1-46 『완역 성리대전』]
問: 理在先, 氣在後.
曰: 理與氣本無先後之可言. 但推上去時, 却如理在先氣在後相似.[실체]
물었다. "리는 먼저이고, 기는 나중입니다."

(주자가) 답했다. "리와 기는 본래 선후를 말할 수 없다. 다만 미루어 올라가면, 결국 리가 먼저이고 기가 나중인 것 같다."

"리와 기는 본래 선후를 말할 수 없다."라는 것은 선후를 공간과 시간의 선후 문제로 인식할 수 없다는 사실에 대한 강조입니다. 그럼에도 불구하고 주자는 "다만 미루어 올라가면, 결국 리가 먼저이고 기가 나중인 것 같다."라고 말합니다. 이는 성리(性理)와 성기(性氣), 그리고 '性理의 氣'와 '性氣' 사이에 놓인 논리적 필연성에 근거하면 선후의 논리적 맥락이 분명하다는 것을 뜻합니다. 끝으로 이 모든 논의를 이해하는 방법은 우리 자신의 몸에 대한 우리 자신의 생각이라는 점을 강조합니다. '나' 스스로 자신의 몸에 나아가 생김에 고유한 본성의 필연성에 대해서 생각하지 않으면 이해할 수 없습니다. 성리학(性理學)이 학문의 핵심으로 '효'(孝)를 제시하는 근본 이유가 여기에 있습니다. 성리학은 '엄마아빠'를 배우는 학문입니다.

3장. 實體의 變容이 낳는 樣態, 陰陽

    지금 '나' 자신의 몸에 나아가 '나' 스스로 생각(분석)해 보면, '나'는 영원무한의 생명으로 존재하는 엄마아빠의 사랑에 의해서 생겨났다는 사실을 이해합니다. 이 사실이 무극이태극(無極而太極)입니다. 이 존재가 'sex'의 동정(動靜)으로 지금 '나'의 몸을 낳았습니다. 그런데 이 사실은 '나'의 몸을 두고 '나' 스스로 생각하는 '나'의 마음이 자기 스스로 생각함으로써 자기 스스로 이해한 것입니다. '나'는 '몸'으로 존재하지만 동시에 '마음'으로도 존재합니다. '나'에게 마음이 존재한다는 사실을 어떻게 알 수 있을까요? 빛이 자신의 빛으로 자기의 존재를 증명하는 것과 같이 '나'의 마음은 자기의 생각으로 자기 존재를 자기 스스로 증명합니다. 지금 내가 생각하고 있다는 사실이 나의 마음이 존재한다는 사실을 증명합니다.

    '나'는 몸과 마음으로 존재합니다. '나'의 마음이 '나'의 몸에 대해서 스스로 생각하면, '나'의 몸에 고유한 영원의 본성으로서 無極而太極을 이해합니다. 영원무한의 생명과 사랑으로 존재하는 몸(無極而太極)이 지금 '나'의 몸을 생겨나도록 영원의 필연성으로 결정했다는 사실을 이해합니다. 그런데 이 사실을 이해하는 나의 마음은 어디에서 유래하는 것일까요? 나의 몸이 영원무한의 생명과 사랑으로 존재하는 단 하나의 실체로서 자기원인인 無極而太極에서 생겨난 것과 같은 이치로, 당연히 나의 마음도 無極而太極에 의해서 생겨납니

다. 따라서 無極而太極은 몸과 마음으로 존재하며 그것은 영원무한의
생명과 사랑입니다.

영원무한의 생명과 사랑 그 자체인 몸과 마음이 존재한다는 것은
사실상 영원무한의 생명으로 존재하는 엄마와 아빠가 각각 자신의
몸과 마음으로 존재한다는 사실을 뜻합니다. 서로 다른 엄마의 몸과
아빠의 몸이 영원무한의 생명과 사랑 안에서 영원무한의 'sex'를 자
신의 몸으로 하는 것과 같이, 엄마의 마음과 아빠의 마음도 영원무
한의 생명과 사랑 안에서 오직 영원무한의 'sex'만을 자신의 마음으
로 생각합니다. 이 논리에 근거하여 지금 '나'의 몸은 엄마와 아빠의
몸이 sex를 함으로써 낳은 것이며 동시에 지금 '나'의 마음은 엄마
와 아빠의 마음이 sex를 생각함으로써 낳은 것입니다. 즉, 몸과 마
음으로 존재하는 지금 '나'는 성리(性理)로 존재하는 無極而太極의 몸
과 마음이 낳은 것입니다.

영원무한의 생명과 사랑으로 존재하는 無極而太極이 'sex'의 동정
(動靜)으로 나의 몸과 마음을 영원의 필연성으로 낳았다는 사실을 주
자는 『태극도』에 근거하여 음양(陰陽)으로 확인합니다.

[1-0-1-24 『완역 성리대전』]
太極生陰陽, 理生氣也. 陰陽既生, 則太極在其中, 理復在氣之內也在.
(주자가 말했다.) "태극이 음양을 생하는 것은 리가 기를 생하는 것
이다. 음양이 이미 생겼으면, 태극은 그 속에 있고, 리는 다시 그 기 속
에 있다."

"太極生陰陽(태극이 음양을 생하는 것)"이란 無極而太極이 나의 몸과

마음을 낳았다는 뜻입니다. 우리의 마음이 우리 자신의 몸에 대해서 인과의 필연성에 기초하여 생각할 때 無極而太極은 영원무한의 생명과 사랑으로 존재하는 엄마의 몸(마음)과 아빠의 몸(마음)이며, 그러한 한에서 無極而太極이 動靜을 통해서 陰陽을 낳는다는 것은 실질적으로 엄마의 몸(마음)과 아빠의 몸(마음)이 'sex'를 통해서 지금 나의 몸(마음)을 낳는다는 것을 뜻합니다. 이 지점에서 다음과 같은 질문이 제기됩니다.

① 음양(陰陽) 중에서 어느 것이 몸이며 마음인가?
② 왜 『태극도』는 몸과 마음이라 하지 않고 陰陽이라고 말했는가?

순서대로 논점을 다루면, 몸은 '음'(陰)이며, 마음은 '양'(陽)입니다. 엄마아빠의 몸에 의해서 지금 '나'의 몸이 생겨납니다. 엄마의 몸과 아빠에 몸에 고유한 성리(性理)의 진실, 즉 영원무한의 생명과 사랑에 의해서 지금 '나'의 몸이 생겨납니다. 몸은 영원의 필연성 안에서 이 진실만을 따릅니다. '나'의 몸은 절대적으로 이 진실을 어기지 않으며 동시에 절대적으로 이 진실을 부정하며 존재할 수도 없습니다. 지금 '나'의 마음도 몸과 동일한 논리적 필연성 안에 존재하지만, '나'의 마음은 자기 스스로 생각함으로써 자기 자신과 자기의 몸에 고유한 이 진실의 영원한 필연성을 다시 명백하게 이해합니다.

영원무한의 생명과 사랑 안에서 엄마의 몸과 아빠의 몸이 존재하며 이 몸은 이 진실 안에서 지금 '나'의 몸을 낳습니다. 이것은 철두철미 자연(自然)입니다. 엄마의 몸과 아빠의 몸 그리고 이 두 분의 sex를 통해서 생겨난 지금 '나'의 몸은 철저히 영원무한의 생명과 사랑 안에 존재하며 오직 이 진실만으로 생겨납니다. 성리(性理) 안에 있는 기(氣)이며, 오직 이 기(氣)에 의해서 지금 '나'의 몸(氣)이 생겨납니다. 이러한 몸의 진실을 '음'(陰)이라 합니다. '나'의 몸은 오직 필연성 안에서 필연성만을 따라서 필연성으로 존재하기 때문에 이러한 특성을 음(陰)이라 합니다. 그렇기 때문에 이 음(陰)을 고요함을 뜻하는 정(靜)에서 나온 것으로 설명합니다.

마음도 몸과 동일한 논리적 필연성을 따릅니다. 그런데 마음은 영원무한의 생명과 사랑 안에서 영원무한의 생명과 사랑만을 따라서 존재하는 몸과는 다르게 영원무한의 생명과 사랑을 향한 '생각'으로 그것의 존재를 명명백백하게 이해합니다. 無極而太極이 영원무한의 생명과 사랑의 '몸'으로 존재하는 것과 같이 無極而太極은 영원무한의 생명과 사랑을 자기 안에서 자기 스스로 생각하는 '마음'으로 존재합니다. 이 몸이 'sex'의 동정(動靜)을 통해서 지금 '나'의 몸(陰)을 낳는 것과 같이 이 마음이 동일한 방식으로 지금 '나'의 마음을 낳습니다. '나'의 마음은 '나'의 몸(陰)에 나아가 영원무한의 생명과 사랑의 몸으로 존재하는 無極而太極을 이해하며 그에 고유한 정신을 이해합니다. 이렇게 '나'의 마음에 고유한 특성을 '양'(陽)이라 합니다.

마음은 '생각'이라는 자신의 기능에 근거하여 적극적으로 사유합니다. 이러한 측면에서 이 양(陽)을 움직임을 뜻하는 동(動)에서 나온 것으로 설명합니다. 그런데 마음의 動과 陽은 철저히 자기 몸을 뜻하는 靜과 陰에 기초합니다. 즉, 마음이 생각한다고 할 때 이 생각은 철저히 자기 '몸'(陰-靜)을 주(主)로 하여 그에 고유한 본성의 필연성을 생각할 때, 비로소 마음은 자기 사유 안에서 영원의 필연성으로 존재하는 無極而太極을 이해할 수 있습니다. 이러한 맥락에서 음양

(陰陽)을 이해할 수 있습니다. 『태극도』를 보면, 양(陽) 안에 음(陰)이 있고 동시에 음(陰) 안에 양(陽)이 있습니다. 그리고 그 한 가운데에는 無極而太極이 있습니다. 陽 안에 陰이 있다는 것은 마음 안에 몸이 존재한다는 것을 뜻하며, 陰 안에 陽이 있다는 것은 몸 안에 마음이 존재한다는 것을 뜻합니다.

지금 '나'는 몸과 마음으로 존재합니다. 그런데 몸 없이는 마음도 없고, 반대로 마음 없이는 몸도 없다는 사실로부터 지극히 당연한 그림입니다. 또한 마음은 철저히 지금 자신의 몸을 떠나서 그 어떤 것도 생각할 수 없습니다. 이 분명한 사실에 근거하여 마음은 자기 몸에서 영원의 필연성으로 존재하는 無極而太極을 이해할 수 있습니다. 마음은 자기의 몸에 대해서 생각함으로써 자기 몸과 자기 존재의 기원을 영원무한의 생명과 사랑으로 이해할 수 있습니다. 몸과 마음으로 존재하는 無極而太極에 의해서 지금 나의 몸과 마음이 생겨났습니다. 주자는 태극(太極)과 음양(陰陽)을 다음과 같이 설명합니다.

[1-0-1-43 『완역 성리대전』]
太極只是天地萬物之理, 未有天地之先, 畢竟先有此理. 而生陽亦只是理静而生陰亦只是理

(주자가 말했다.) "태극은 다만 천지 만물의 리일 뿐이다. 아직 천지가 있기 이전에 필경 먼저 이 리가 있었다. 동하여 양을 생하는 것도 리일 뿐이고, 정하여 음을 생하는 것도 리일 뿐이다."

太極은 無極而太極입니다. 이것의 장르는 성리(性理)입니다. 이것이 동(動)하여 양(陽)을 낳으며 정(靜)하여 음(陰)을 낳습니다. 陰陽이

無極而太極에 기원한다는 사실을 확인할 수 있습니다. 그런데 無極而太極은 '영원무한의 생명과 사랑으로 존재하는 엄마의 몸(마음)과 아빠의 몸(마음)'이기 때문에 당연히 無極而太極이 陰陽을 낳는다면 그것은 '나'의 몸(陰)과 마음(陽)입니다. 단 하나의 실체로 존재하는 자기원인의 無極而太極은 당연히 실체의 변용인 sex의 동정(動靜)에 앞섭니다. "아직 천지가 있기 이전에 필경 먼저 이 리가 있었다."라고 말하는 이유입니다. 이 理가 변용(sex: 氣)을 통해서 자신의 몸과 마음으로 지금 '나'의 몸(陰: 氣)과 마음(陽: 氣)을 낳습니다.

이상의 논의를 토대로 다음과 같은 논리적 순서가 필연적으로 도출됩니다.

실체(無極而太極) → 실체(無極而太極)의 변용(動靜) → 양태(陰陽)

그러나 이 순서는 공간과 시간의 선후를 의미하지 않습니다. 단 하나로 존재하는 실체인 無極而太極이 자기 안에서 자기 본성의 필연성을 따라서 영원성 그 자체로 결정하는 것입니다. 이러한 논리를 주자는 다음과 같이 확인합니다.

[1-0-1-25 『완역 성리대전』]
　　所謂太極者便只在陰陽裏所謂陰陽者便只　太極裏今人說是陰陽上別有一箇無形無影底是太極非也

　　(주자가 말했다.) "이른바 태극은 곧 다만 음양 속에 있다. 이른바 음양은 곧 다만 태극 속에 있다. 지금 사람들이 '음양 위에 어떤 형체나 그림자가 없는 것이 따로 있는데 이것이 태극이다.'고 말하는 것은 잘못이다."

음양은 태극 안에 존재하며, 그러한 한에서 음양 안에 태극이 존재합니다. 그러나 실체의 변용에 앞선 실체의 본성을 우리가 명백하게 이해함으로써 실체의 변용을 영원무한의 생명과 사랑으로 이해할 수 있는 것과 같이, 당연히 실체의 변용에 의해서 생겨난 양태에 궁극적으로 앞선 실체의 본성을 우리가 명백히 이해할 때 양태의 진실을 영원무한의 생명과 사랑으로 이해할 수 있습니다. 따라서 실체와 양태는 존재 및 그에 대한 인식에 있어서 절대적으로 섞일 수 없다는 사실을 확인할 수 있습니다.

[1-0-1-30 『완역 성리대전』]

問: 陰陽便是太極否?

曰: 某解圖云, '然非有以離乎陰陽也, 卽陰陽而指其本體不雜乎陰陽而爲言耳此', 句當仔細看.

물었다. "음양이 바로 태극입니까?"

(주자가) 답했다. "나의 『태극도설해』에 이르기를, '그러나 음양을 떠나서 있는 것은 아니고 음양에서 그 본체가 음양에 섞이지 않은 것을 가리켜서 말한 것일 뿐이다.'라고 하였는데, 이 구절은 마땅히 자세히 보아야 한다."

주자는 無極而太極을 "음양에서 그 본체가 음양에 섞이지 않은 것을 가리켜서 말한 것일 뿐이다."라고 설명합니다. 지금 '나'의 몸(陰)과 마음(陽)에 나아가 생김에 고유한 본성의 필연성에 대해서 생각할 때, 그때 비로소 영원무한의 생명과 사랑으로 존재하는 단 하나의 실체로서 자기원인인 無極而太極을 이해할 수 있습니다. 無極而太極은 영원무한의 생명과 사랑 안에서 자기의 몸과 마음을 가지고 있으며,

---

오직 이 본성만을 따라서 無極而太極은 변용(sex의 動靜)을 통해서 자신이 산출할 수 있는 모든 몸(陰)과 마음(陽)을 무한한 방식으로 무한히 산출합니다. 그러한 한에서 陰陽을 떠나서 無極而太極이 없고, 그 반대도 마찬가지입니다.

영원무한의 생명과 사랑 안에서 영원무한의 몸과 마음이 존재합니다. 이 존재가 無極而太極이며, 그 장르는 '성리'(性理)입니다. 性理는 자기 안에 'sex'의 동정(動靜)을 뜻하는 기(氣)를 가지고 있습니다. 이 기(氣)가 음양(陰陽)의 기(氣), 즉 지금 '나'의 몸(陰)과 마음(陽)을 낳습니다. 그렇기 때문에 '나'의 몸(陰)은 정(靜)을 가지고 있고 '나'의 마음(陽)은 동(動)을 가지고 있습니다. '나'의 마음(陽動)이 '나'의 몸(陰靜)에 나아가 실체로서 無極而太極 및 실체의 변용으로서 'sex'의 동정을 이해할 수 있는 근본 이유입니다. 이 사실을 주자도 다음과 같이 확인합니다.

[1-0-1-40 『완역 성리대전』]

問: 太極理也, 理如何動靜? 有形則有動靜, 太極無形, 恐不可以動靜言.

曰: 理有動靜, 故氣有動靜. 若理無動靜, 則氣何自而有動靜乎?

물었다. "태극은 리인데, 리가 어떻게 동정합니까? 형체가 있으면 동정이 있지만, 태극은 형체가 없으니 동정으로 말할 수 없을 것 같습니다."

(주자가) 답했다. "리에 동정이 있으므로 기에 동정이 있다. 만일 리에 동정이 없다면, 기는 어떻게 해서 동정이 있겠는가?"

"리에 동정이 있으므로 기에 동정이 있다."라고 말했습니다. 성리(性理)는 자기 안에 동정(動靜: 실체의 변용으로서 sex)의 기(氣)를 가지고 있습니다. 그렇기 때문에 性理의 氣에 의해서 생겨난 陰陽의 氣인 '나'의 몸(陰)과 마음(陽)도 動靜을 갖습니다. 몸(陰)은 영원의 필연성으로 실체의 본성 안에서 실체의 본성만을 따라서 존재하는 것이므로 그 어떤 변화가 없습니다. 이것을 정(靜) 또는 음합(陰合)이라 합니다. 마음도 이 진실 안에 존재하지만, 그것은 몸(陰)에 나아가 無極而太極을 이해합니다. 실체의 본성 및 그것으로 생겨나는 변용의 변화를 이해합니다. 이 이해를 양(陽) 또는 양변(陽變)이라 합니다.

'양변음합'(陽變陰合)을 이와 같이 이해하면, 가장 중요한 것은 無極而太極 그 자체를 이해하는 것입니다. 이 이해로부터 실체의 변용 및 변용에 의해서 생겨나는 陰陽을 영원무한의 생명과 사랑으로 이해할 수 있습니다. 그래서 주자는 다음과 같이 말합니다.

[1-0-1-27『완역 성리대전』]
然動亦太極之動, 靜亦太極之靜, 但動靜非太極耳. 故周子以無極言之.
(주자가 말했다.) "그러나 동도 태극이 동하는 것이고, 정도 태극이 정하는 것이지만, 다만 동정은 태극이 아니다. 그러므로 주자가 무극으로 표현하였다."

"동정은 태극이 아니다."라고 말했습니다. 실체로 존재하는 無極而太極은 자신의 변용에 앞선다는 것을 뜻합니다. 그렇기 때문에 無極而太極에 대한 올바른 이해는 그것의 변용(變容)에 의존하거나 그것으로부터 생겨나는 음양(陰陽)에 의존하는 것이 아닙니다. 실체로서 無極而太極 그 자체의 본성을 명석판명하게 이해하는 것입니다. 이 이해로부터 실체의 變容 및 그로부터 필연적으로 생겨나는 陰陽에 대해서 참답게 이해할 수 있습니다.

그러므로 3장의 핵심을 다음과 같이 요약할 수 있습니다.

【3장 요약】

無極而太極을 설명하는 장르로서 性理는 動靜의 氣를 가지고 있으며, 이 動靜의 氣가 陰陽을 낳는다. 이 사실로부터 陰陽과 動靜은 영원으로부터 영원에 이르는 영원성으로 無極而太極 안에 존재한다는 결론은 필연적이다. 지금 '나'의 몸과 마음은 영원무한의 생명과 사랑 안에서 영원무한의 생명과 사랑에 의해서 생겨났다는 사실이 명백하므로 '나'의 마음이 '나'의 몸에 나아가 스스로 생각해 보면 마음은 자명하게 이 사실을 이성의 필연성 안에서 진리의 필연성으로 이해한다.

4장. 後驗分析으로 존재하는 先驗分析

1. 陰陽에 고유한 本性

우리는 음양(陰陽)을 두 가지 방식으로 이해할 수 있지만, 이 두 가지 이해는 각각의 본질에 입각하여 보면 완전히 일치합니다. 무엇보다도 이해의 기초를 우리 자신의 '몸'에 두는 것이 가장 중요합니다. 지금 '나'의 몸에 나아가 '나' 스스로 생각해 보면, 지금 '나'는 '나'의 몸으로 존재하고 있다는 사실이 영원의 필연성으로 자명합니다. 여기에서 생각을 시작하면, 원인과 결과의 필연성 안에서 지금 내 몸의 존재를 결정한 원인으로서 몸의 존재 또한 영원의 필연성으로 자명합니다. 이 사실은 우리 스스로 생각함으로써 우리 스스로 완전하게 이해하는 진리입니다.

내 몸의 존재를 결정한 원인으로서 몸의 존재가 영원의 필연성으로 분명하다는 사실을 이해할 때, 그 기초는 지금 '나' 자신이 감각으로 확인하는 '나'의 몸입니다. 그러나 영원의 필연성 안에서 원인으로 존재하는 몸에 대한 이해는 '나'의 마음이 자기 스스로 생각하는 중에 자기 안에서 자기 스스로 형성한 것입니다. 즉, '나' 자신이 내 몸의 존재를 결정한 '원인으로서 몸'이 존재한다는 사실을 이해할 때 이 이해는 감각에 의존함으로써 형성된 것이 아닙니다. 지금 '나' 자신이 감각적으로 지각하는 '나'의 몸에 나아가 '나' 스스로 생각을 시작한 것은 분명하지만, '원인으로서 몸'이 존재한다는 사실은 '나'의 생각이 자기 안에서 영원의 필연성으로 확인한 진리입니다.

'나'의 몸을 존재하도록 결정한 '원인으로서 몸'이 영원의 필연성으로 존재한다는 사실이 밝혀졌으므로, '원인으로서 몸'은 절대적으로 존재합니다. 우리가 그 몸의 존재를 감각으로 확인할 수 없다고 해도 그 몸이 존재한다는 사실은 생각에 고유한 이성에서 나오는 진리의 필연성입니다. 그리고 지금 내 몸의 존재에 관하여 '원인으로서 몸' 이외 다른 것은 절대적으로 생각할 수 없기 때문에 '원인으로서 몸'은 절대적으로 '단 하나'입니다. 그런데 우리가 다시 이 진실에서 생각해 보면, 영원의 필연성으로 존재하는 '단 하나의 원인으로서 몸'은 완전히 서로 다른 '두 개'의 몸으로 구성되어 있습니다. 무엇일까요? 그것은 '엄마의 몸'과 '아빠의 몸'입니다.

지금 '나'의 몸은 단 하나입니다. 내 몸을 존재하게 한 '원인으로서 몸'도 단 하나입니다. 그런데 '단 하나'로 존재하는 '원인의 몸'은 '나'에게 '엄마의 몸과 아빠의 몸'이라는 서로 다른 두 개의 몸으로 구성되어 있습니다. 이 정리에는 두 개의 매우 중요한 논점이 있습니다.

① 선험분석(先驗分析)의 성리(性理)
: 몸-생김에 관하여 영원의 필연성으로 존재하는 '원인의 몸'이 先驗分析의 性理입니다. 이 존재를 '무극이태극'(無極而太極)으로 정의합니다.

② 엄마아빠의 몸에 고유한 본성으로서 영원무한의 생명과 사랑
: 無極而太極은 몸-생김에 관한 한 영원의 필연성으로 존재하는 단 하나의 원인입니다. 이 원인은 '엄마의 몸'과 '아빠의 몸'으로 구성되어 있습니다. 단 하나의 몸 안에 완전히 서로 다른 엄마아빠의 몸은 無極而太極에 고유한 영원의 필연성에 근거하여 당연히 영원의 필연성으로 존

재합니다. 또한 엄마아빠의 몸으로부터 지금 내 몸의 생명이 영원의 필연성으로 결정되어 있다는 사실에 근거하여 엄마아빠의 몸은 영원의 필연성 안에서 영원의 필연성으로 생명의 몸입니다.

엄마의 몸은 영원의 필연성으로 생명의 몸입니다. 아빠의 몸도 영원의 필연성으로 생명의 몸입니다. 영원의 생명이 여기에 있습니다. 그런데 이 두 개의 몸은 반드시 사랑(sex)을 해야 합니다. 그렇지 않으면 절대적으로 지금 '나'의 몸이 생겨날 수 없습니다. 영원의 필연성 안에서 영원한 생명으로 존재하는 서로 다른 엄마의 몸과 아빠의 몸이 사랑(sex)을 한다면, 이 사랑은 당연히 영원의 필연성 안에서 영원의 생명이 하는 사랑이기 때문에 영원의 사랑(sex)입니다.

바로 이 지점에서 영원의 필연성으로 존재하는 원인으로서 몸은 서로 완전히 다른 두 개의 몸이면서 동시에 완전히 하나의 몸입니다. 영원의 필연성 안에 엄마의 몸도 영원의 생명이며 아빠의 몸도 영원의 생명입니다. 이 경우 영원의 생명이 두 개로 존재하는 것 같으며, 이로부터 無極而太極이 마치 두 개의 영원한 생명의 몸으로 구성되는 것 같습니다. 그러나 영원의 사랑(sex) 안에서 보면 완전히 서로 다른 두 개의 생명으로 존재하는 엄마의 몸과 아빠의 몸은 '혼연일체'로 단 하나입니다. 이 하나가 無極而太極 또는 실체(實體)입니다.

그러므로 우리는 몸-생김의 先驗分析 또는 性理로서 無極而太極을 영원무한의 생명과 사랑으로 존재하는 단 하나의 실체라고 정의할 수 있습니다. 이 실체를 구성하는 것은 '몸'입니다. 이 몸은 반드시 존재합니다. 우리가 비록 감각으로 지각할 수 없어도 이 몸은 반드시 존재합니다. 그리고 영원의 필연성으로 생명과 사랑으로 존재합니다. 이 몸의 존재로부터 지금 우리의 몸이 존재하도록 영원의 필연성으로 결정되었습니다.

이상의 두 가지 논의에 기초하여, 다음과 같이 '無極而太極'(무극이태극)과 '陰陽'(음양)에 대한 개념을 제시할 수 있습니다.

【無極而太極에 대한 정의】
몸-생김의 先驗分析(선험분석) 또는 性理(성리)로서 영원무한의 생명과 사랑으로 존재하는 단 하나의 실체.

【음양(陰陽)에 대한 정의】
영원의 사랑 안에서 본래 하나로 존재하면서 동시에 영원의 생명 안에서 본래 서로 다른 둘로 존재하는 '엄마의 몸'과 '아빠의 몸'을 각각 음(陰-엄마 몸)과 양(陽-아빠 몸)으로 이해한다. 陰陽은 無極而太極을 구성하는 것이므로 無極而太極에 고유한 性理로서 영원무한의 생명과 사랑을 본성으로 갖기 때문에 性理이나, 우리가 無極而太極의 실상을 '엄마의 몸(陰)'과 '아빠의 몸(陽)'이라는 구체적인 형상으로 이해하는 한에서 이 '陰陽'은 '性理의 氣'이다.

다음으로 우리는 바로 앞에서 제시한 정의에 근거하여 陰陽을 다른 방식으로 이해할 수 있습니다. 그리고 이 이해는 이전의 이해와 다른 것이 아니라 본질적으로 일치합니다. 이 주제를 이해하기 위한 논의를 다음과 같은 순서를 따라서 전개하겠습니다.

① 선험분석(先驗分析)의 성리(性理)
: 지금 '나'는 몸으로 존재하지만 동시에 마음으로 존재합니다. 지금 '나'에게 마음이 존재한다는 사실, 즉 '나'는 마음으로 존재한다는 사실은 지금 '나' 자신이 생각하고 있다는 사실에 기초하여 영원의 필연성으로 증명됩니다. 빛이 자신의 존재 그 자체인 빛으로 자기 존재를 증명하

는 것과 같이 마음은 자신의 존재 그 자체인 생각으로 자기 존재를 증명합니다. 지금 '나'에게 몸과 마음이 존재한다는 사실로부터 '나' 자신이 '나'의 몸과 마음을 존재하도록 결정하지 않았다는 명백한 사실이 연역되며, 최종적으로 '나'의 몸과 마음을 존재하도록 결정한 '원인으로서 몸'과 '원인으로 마음'이 존재한다는 사실이 영원의 진리로 연역됩니다. 따라서 先驗分析의 性理는 영원의 필연성으로 존재하는 원인으로서 몸과 마음입니다.

② '몸'과 '마음'을 속성으로 갖는 단 하나의 실체, 無極而太極
: 先驗分析의 性理를 우리가 無極而太極으로 정의하는 한에서 이것은 영원의 필연성 안에서 몸과 마음으로 존재합니다. 無極而太極은 자신의 몸과 마음으로 존재하며, 이로부터 무한한 몸과 마음을 산출합니다. 無極而太極의 몸에서 자연을 구성하는 무한한 몸이 생겨나며, 無極而太極의 마음에서 자연을 구성하는 무한한 마음이 생겨납니다. 자연을 구성하는 무한한 몸과 마음을 산출하는 유일하면서 궁극의 원인인 無極而太極은 '몸(마음)-생김'의 先驗分析이며 性理입니다.

無極而太極을 구성하는 서로 다른 두 개의 몸과 마음을 각각 음양(陰陽)으로 정의합니다. 性理의 몸은 철두철미 자신의 몸으로 자연을 구성하는 몸을 무한히 산출합니다. 性理의 마음 또한 철두철미 자신의 마음으로 자연을 구성하는 마음을 무한히 산출합니다. 그런데 性理의 마음은 性理로 존재하는 자신의 몸과 달리 '생각'이라는 것을 합니다. 性理의 마음은 자신의 생각으로 자신의 몸이 산출할 수 있는 자연의 모든 몸을 무한한 방식으로 무한하게 이해하며, 이 이해는 사실상 性理의 몸이 자신의 본성인 생명과 사랑 안에서 자신이 산출할 수 있는 모든 무한한 몸으로 생겨나기 때문에 형성됩니다.

性理의 몸은 철저히 자기 본성인 생명과 사랑의 영원성 안에서 무한한 몸을 자연 안에서 산출합니다. 여기에는 오직 性理 그 자체의 진실로서 無極而太極이 자기 본성의 필연성만을 따릅니다. 그런데 性理의 마음은 자기 스스로 생각함으로써 자기의 존재를 이해할 뿐만 아니라 자기 존재에 고유한 본성으로서 性理의 몸 및 이로부터 필연적으로 산출되는 모든 몸과 그 각각의 몸에 고유한 본성을 이해합니다. 이러한 측면에서 보면, 몸은 고요함을 의미하는 '음'(陰)으로 그 자신의 본성을 이해할 수 있고 한편 마음은 움직임을 의미하는 '양'(陽)으로 그 자신의 본성을 이해할 수 있습니다.

그러므로 우리는 앞의 정의와는 다른 측면에서 無極而太極 및 陰陽을 다음과 같이 정의할 수 있습니다.

【無極而太極에 대한 정의】
無極而太極은 先驗分析(선험분석)의 性理(성리)로서 영원무한의 생명과 사랑으로 존재하는 단 하나의 실체이며, 이것을 구성하는 속성은 몸과 마음이다.

【음양(陰陽)에 대한 정의】
性理의 몸은 '陰'으로서 性理의 氣이다. 단 하나의 실체로서 性理(無極而太極)을 구성하는 속성으로서 구체적인 형상을 우리가 이해하는 한에서, 性理의 몸으로서 陰은 性理의 氣이다. 한편, 性理의 마음은 '陽'으로서 性理의 氣이다. 단 하나의 실체로서 性理(無極而太極)을 구성하는 속성으로서 구체적인 형상을 우리가 이해하는 한에서, 性理의 마음으로서 陽은 性理의 氣이다. 따라서 性理는 자기 안에 氣를 가지고 있으며, 이 氣를 스스로 변용(變容)함으로써 영원무한의 생명과 사랑 안에서 자연을 구성하는 몸과 마음을 무한한 방식으로 무한하게 산출한다.

이상으로 '성리'(性理) 또는 '무극이태극'(無極而太極)을 구성하는 속성으로서 '음양'(陰陽)에 대해서 살펴보았습니다. 이하에서는 이 주제를 주자가 어떻게 이해하는지 살펴보도록 하겠습니다.

[1-0-1-53 『완역 성리대전』]

陰陽只是一氣, 陰氣流行即爲陽, 陽氣凝聚即陰, 非眞有二物相對也. 此理甚明.

(주자가 말했다.) "음양은 한 개의 기일 뿐이니, 음기가 유행하면 바로 양이 되고, 양기가 엉겨 붙으면 바로 음이 되는 것이지, 참으로 두 가지가 상대하고 있는 것은 아니다. 이 이치는 매우 분명하다."

"음양은 한 개의 기일 뿐"이라고 말했습니다. 이것은 엄마의 몸과 아빠의 몸이 영원무한의 생명과 사랑으로 존재하는 단 하나의 실체인 '無極而太極'(사랑) 안에서 본래 하나의 몸으로 존재하고 있다는 사실을 확인합니다. 陰(엄마의 몸)은 陰(엄마의 몸)입니다. 陽(아빠의 몸)은 陽(아빠의 몸)입니다. 이 둘은 완전히 다른 것입니다. 그러나 그럼에도 불구하고 이 둘은 영원무한의 사랑(sex)인 '理'(太極)안에서 완전히 하나입니다. 이러한 맥락에서 "참으로 두 가지가 상대하고 있는 것은 아니다."라고 말했습니다.

몸과 마음의 관계도 이치가 같습니다. 몸(陰)은 몸(陰)입니다. 마음(陽)은 마음(陽)입니다. 완전히 다른 것입니다. 그러나 단 하나의 실체인 無極而太極 안에서 이 둘은 하나입니다. 이 사실을 부정하면 단 하나의 실체가 서로 다른 두 개의 실체로 구성된다는 오류에 빠지게 됩니다. 無極而太極은 단 하나로 존재하는 실체입니다. 이것 이외 다른 것은 실체로 존재하지 않습니다. 오직 영원무한의 생명과 사랑만이 존재합니다. 이 진실 안에서 몸과 마음은 영원무한의 생명으로 존재합니다. 동시에 이 둘은 영원무한의 사랑 안에서 단 하나로 존재합니다.

그러므로 3장에서 다룬 핵심 주제인 '음양'(陰陽)을 다음과 같이 요약할 수 있습니다. 이에 기초하여 '오행'(五行)에 대해서 탐구하겠습니다.

【陰陽의 핵심 요약】

陰陽은 영원무한의 생명과 사랑으로 존재하는 단 하나의 실체인 無極而太極을 구성하는 서로 다른 두 개의 속성이다. 이것은 몸-생김의 性理이기 때문에 실체의 사랑 안에서 고요한 '엄마의 몸'(陰氣)과 실체의 사랑 안에서 변화하는 '아빠의 몸'(陽氣)으로 이해할 수 있다. 동시에 몸-생김의 性理 안에서 영원무한의 생명과 사랑으로 존재하는 '몸'(陰)과 '마음'(陽)으로 이해할 수 있다. 이처럼 性理를 구성하는 陰陽을 性理의 氣라고 정의한다.

2. 五行에 고유한 本性
오 행 본 성

無極而太極의 몸(陰)은 철저히 자신의 몸을 변화(變容)함으로써 자연을 구성하는 몸을 무한한 방식으로 무한하게 산출합니다. 이것은 '움직임'(動) 같지만 실질적으로 '고요함'(靜)입니다. 왜냐하면 無極而

太極은 자기 존재의 속성으로 본래부터 가지고 있는 몸(陰)을 자기원인으로 변용함으로써, 즉 오직 자기 몸으로 무한한 몸을 무한하게 낳기 때문입니다. 이러한 측면에서 원인의 몸이 오직 자기원인만을 따라서 결과로서 몸을 무한히 낳는다는 것은 '움직임'으로 보이지만 그것의 실상은 '고요함'입니다. 無極而太極이 자기의 몸으로 산출하는 무한한 몸은 본래부터 자기 안에 가지고 있습니다. 이 사실을 부정하면 無極而太極은 자기원인으로 더 이상 존재할 수 없습니다.

無極而太極의 마음도 자신의 몸과 같은 방식으로 존재합니다. 無極而太極은 자기 존재의 속성으로 본래부터 가지고 있는 마음(陽)을 자기원인으로 변용합니다. 오직 자기 마음으로 무한한 마음을 무한하게 낳습니다. 이러한 관점에서 보면 無極而太極의 마음도 자신의 몸과 동일하게 '고요함'으로 존재합니다. 그러나 無極而太極이 자신의 몸 안에 자기가 산출할 수 있는 모든 몸을 본래부터 가지고 존재하는 것과는 다르게 無極而太極의 마음은 이러한 자기 몸의 진실을 자기 생각 안에서 자명하게 이해하며 동시에 자기 몸이 산출할 수 있는 모든 몸에 대한 존재의 관념을 가지고 있습니다. 이러한 측면에서 보면, 이 마음은 '고요함' 같지만 실상은 '움직임'입니다.

이러한 이해를 주자도 다음과 같이 확인합니다.

[1-0-1-54『완역 성리대전』]
問: 陽何以言變, 陰何以言合?
曰: 陽動而陰隨之, 故言變合.
물었다. "양은 어째서 변한다고 하고, 음은 이째시 합한다고 합니까?"

(주자가) 답했다. "양이 동함에 음이 이를 따른다. 그러므로 '변한다, 합한다'고 말하였다."

번역은 "양이 동함에 음이 이를 따른다"라고 되어 있으나, 우리는 원문을 얼마든지 다음과 같이 읽고 이해할 수 있습니다.

陽動而陰隨之, 故言變合.
陽은 (無極而太極의 마음이) 움직이는 것이며 陰은 (無極而太極의 몸이) 따르는 것이다. 그러므로 '陽은 變하고 陰은 合한다.'라고 한다.

無極而太極의 마음(陽)이 '움직인다.'(動)는 것은 자기의 몸(陰)이 오직 자기 본성만을 따라서(隨) 무한한 방식으로 무한한 몸이 산출된다는 사실을 생각하며 동시에 그 무한한 몸 각각의 존재에 대한 관념을 자기 안에서 자기 스스로 형성한다는 것을 뜻합니다. 이러한 관념을 형성하기 때문에 양변(陽變)이며, 동시에 이 관념을 부정하는 몸이 자연 안에서 절대적으로 존재하지 않기 때문에 음합(陰合)입니다. 그리고 당연히 반대도 성립합니다. 자연 안에 존재하는 그 어떤 몸도 無極而太極의 몸을 부정하며 존재하지 않기 때문에(隨) 마음은 자기 안에서 자기 스스로 이 진실을 이해합니다(變).

이렇게 몸(陰)과 마음(陽)으로 구성된 단 하나의 실체인 無極而太極이 자기원인으로 變容(변용)하면, 성리(性理)의 기(氣)로부터 구체적인 몸들이 다섯 가지 형태로 생겨납니다. 이것을 '오행'(五行)이라 부릅니다.

陽變陰合, 初生水火. 水火氣也, 流動閃爍, 其體尙虛, 其成形猶未定. 次生木金, 則確然而定形矣. 水火初是自生, 木金則資於土.

(주자가 말했다.) "'양이 변하고 음이 합하여' 처음으로 수와 화를 생한다. 수와 화는 기이니, 흘러 움직이고 번쩍거리며, 그 몸체는 오히려 비어 있고, 그 모양을 이루는 것조차도 아직 정해지지 않았다. 다음으로 목과 금을 생하면, 확연히 정해진 모양이 있다. 수·화는 처음에 자생하고, 목금은 토에 의지한다."

"양이 변하고 음이 합하여"는 성리(性理)의 몸(陰氣)과 마음(陽氣)이 性理의 자기원인 안에서 자신을 구체적으로 다섯 가지의 몸과 마음으로 '양태화'(氣化)한다는 것을 뜻합니다. 이것을 '수화목금토'(水·火·木·金·土)라고 부르며, 간단하게 '五行'(오행)으로 부릅니다. 그리고 이 주제를 지금 우리 자신의 몸에 집중하면 다음과 같이 이해할 수 있습니다. 영원무한의 생명과 사랑 안에서 엄마아빠의 사랑(sex)이 아빠의 사랑인 정자(水)로 구체화되고 그것을 엄마의 사랑인 난자(火)가 받습니다. 그 결과 水火(수화)는 구체적인 태아(木)의 형태로 드러나고, 그러한 한에서 이 태아(木)은 영원무한의 생명과 사랑을 자신의 본성으로 받기 때문에 세상에서 가장 존귀한 것(金)입니다.

위와 같이 이해하면, "수화는 처음에 자생하고, 목금은 토에 의지한다."는 것이 뜻하는 바를 알 수 있습니다. 아빠의 정자를 뜻하는 水는 당연히 아빠의 몸에서 나오는 양태입니다. 엄마의 난자를 뜻하는 火는 당연히 엄마의 몸에서 나오는 양태입니다. 이 둘은 각각 아빠의 몸과 엄마의 몸에서 나오기 때문에 자생입니다. 그런데 정자와 난자가 만나서 태아(木)가 되어 영원무한의 생명과 사랑이 자연을 구성하는 하나의 몸(金)으로 '양태화'(氣化) 될 때, 이것은 엄마의 배 속에서 이루어집니다. 목금(木金)이 토(土)에 의지하는 이유입니다. 土는 엄마의 배(자궁)입니다.

　그러나 다시 강조하지만, 지금 이 논의는 지금 우리의 몸-생김인 선험(先驗)에 대한 것입니다. 절대적으로 몸으로 살아가는 우리가 경험하는 후험(後驗)이 아닙니다. 先驗이기 때문에 이에 대한 이해는 두 가지 방식으로 형성됩니다. 하나는 우리 자신의 생각 안에서 우리 자신이 명백하게 이해하는 것으로 형성하는 것이며, 다른 하나는 이와 정반대로 우리의 경험인 後驗에 앞서는 엄마아빠의 後驗으로 이해를 형성할 수 있습니다. 그러나 후자의 방법은 엄격히 말해서 後驗일 뿐이지 先驗이 아니며, 그러한 한에서 이것으로 先驗을 이해하는 것은 방법의 오류입니다. 後驗으로 존재하는 우리가 우리 자신의 생각 안에서 先驗에 대한 이해를 자기 안에서 명백하게 형성하는 것이 올바른 방법입니다.

　이 방법이 선험에 대한 분석적 이해로서 '선험분석'(先驗分析) 또는 성리(性理)입니다. 이 방법으로 우리 자신의 몸에 나아가 생김 그 자체의 진실을 이해한 결과 영원의 필연성으로 존재하는 無極而太極을 확인합니다. 영원무한의 생명과 사랑으로 존재하는 몸과 마음, 또는 영원무한의 생명과 사랑으로 존재하는 엄마의 몸과 아빠의 몸이 그것입니다. 이것이 性理의 氣로서 음양(陰陽)입니다. 이 두 氣가 性理에 고유한 성질로서 자기원인에 근거하여 '변합'(變合)함으로써 구체적인 양태로 드러나면, 그것이 음양의 양태화(氣化)로서 오행(五行)입니다. 따라서 우리는 陰陽에 의해서 구체적인 양태로 드러난 五行을 陰陽과 같은 방식으로 두 가지로 이해할 수 있습니다.

【陰陽에 대한 이해】

① 영원무한의 생명과 사랑으로 존재하는 단 하나의 실체인 無極而太極을 구성하는 몸과 마음

② 영원무한의 생명과 사랑으로 존재하는 단 하나의 실체인 無極而太極을 구성하는 엄마의 몸과 아빠의 몸

【五行에 대한 이해】

① 영원무한의 생명과 사랑으로 존재하는 단 하나의 실체인 無極而太極을 구성하는 몸과 마음으로부터 다섯 가지의 몸과 마음이 생겨난다.

② 영원무한의 생명과 사랑으로 존재하는 단 하나의 실체인 無極而太極을 구성하는 아빠의 몸에서 생겨나는 정자(水)가 엄마의 몸에서 생겨나는 난자(火)를 엄마 배(土) 안에서 만남으로써 태아(木)가 생겨나고 그것은 본래 無極而太極의 몸과 마음 안에 본래부터 존재하는 성스러운 것(金)이다.

어느 방식으로 이해해도 본질은 변하지 않습니다. 단 하나의 실체인 無極而太極 안에서 모든 것이 무한한 방식으로 무한히 생겨납니다. 이러한 진리의 필연성으로 자연을 이해하면 첫 번째 이해이며, 이 이해를 지금 우리 자신의 몸으로 이해하면 두 번째 이해입니다. 결국 본질은 몸-생김의 선험(先驗)을 이해하는 것입니다.

그러나 여기에는 매우 '엄정한 논리'가 분명합니다. 단 하나의 실체로서 無極而太極이 영원의 필연성 안에서 자기원인으로 존재합니다. 이것은 자신을 구성하는 속성으로서 기(氣)를 가지고 있는데, 이

것은 '陰陽'입니다. 이것은 性理의 氣입니다. 이 氣가 性理 안에서 性
理의 자기원인 안에서 變容함으로써 다섯 가지의 氣로 '양태화'(氣化)
합니다. 性理의 氣인 陰陽이 五行으로 氣化할 때, 이때의 다섯 개의
氣, 즉 五行을 先驗分析인 性理 안에 있는 선험종합(先驗綜合)으로 정
의합니다. 몸-생김의 이야기가 몸의 구체적인 형태로 설명되기 때문
에 이것을 先驗綜合으로 정의합니다. 性理 안에 있는 엄마아빠의 사
랑(sex) 이야기가 구체화되며, 性理 안에 있는 몸과 마음이 구체화됩
니다.

이상의 논의를 토대로 우리는 선험종합(先驗綜合)에 대한 개념을
제시할 수 있으며, 先驗分析과 先驗綜合 사이에 놓인 논리적 필연성
을 정리할 수 있습니다.

【先驗綜合의 개념】
先驗綜合은 先驗分析인 性理의 氣(陰陽)이 性理에 고유한 자기원인을
따라서 낳는 五行이다. 先驗分析의 性理는 영원무한의 생명과 사랑이고,
性理의 氣는 영원무한의 생명과 사랑 안에 있는 엄마아빠의 사랑(sex)이
다. 이 사랑 안에서 내 몸의 생김을 五行으로 설명하는 것이 先驗綜合이
다. 지금 '나'의 몸을 낳는 것으로서 공간과 시간 속에서 이루어진 엄마
아빠의 사랑은 이 五行의 법칙을 절대적으로 따른다. 그러한 한에서 이
것은 性理가 아니라 性氣이다.

【先驗分析과 先驗綜合의 논리적 필연성】
先驗分析은 性理이다. 이것이 품고 있는 氣가 氣化함으로써 五行이라
는 구체적인 양태로 드러나기 때문에 先驗分析을 우리가 性理로 정의하
고 先驗綜合을 性氣로 정의하는 한에서 이 둘 사이의 논리적 필연성은

리발기수(理發氣隨)이다.

先驗分析의 無極而太極 안에서 先驗綜合의 陰陽五行을 부정하는 엄마아빠의 사랑은 없습니다. 이 사랑의 원칙을 리발기수(理發氣隨)로 요약합니다. 우리가 이 원칙을 우리 자신의 몸에 나아가 분명하게 이해할 때 구체적인 공간과 시간 속에서 이루어진 엄마아빠의 사랑 이야기를 배울 수 있습니다. 엄마아빠를 대신해서 사랑의 잘못을 뉘우칠 수 있으며, 동시에 우리 자신이 존재 그 자체만으로 얼마나 성스럽고 고귀한지 깨닫게 됩니다. 先驗分析으로 先驗綜合을 이해하는 理發氣隨의 논리가 우리 안에서 분명할 때, 후험 속에 있는 엄마아빠의 사랑 이야기를 제대로 배울 수 있습니다.

이렇게 성스럽고 거룩한 몸의 진실을 주자는 다음과 같이 확인합니다.

[1-0-1-72 『완역 성리대전』]
纔生五行便被氣質拘定各爲一物亦各有一性, 而太極無不在也.
(주자가 말했다.) "오행이 생하자마자 바로 기질에 갇혀서 각각 한 물건이 되고, 역시 각각 하나의 성을 가지지만 태극이 없는 곳이 없다."

"오행이 생하자마자 바로 기질에 갇혀서 각각 한 물건이 되고"는 先驗綜合입니다. "역시 각각 하나의 성을 가지지만 태극이 없는 곳이 없다."는 것은 先驗綜合의 性氣가 절대적으로 先驗分析의 性理 안에 있다는 사실을 확인합니다. 자연을 구성하는 모든 몸과 마음은 無極而太極의 몸과 마음 안에 있다는 것을 뜻합니다. 동시에 지금 '나' 자신의 몸에 고유한 생김에 관하여 그곳에는 나의 後驗에 앞서는 엄마아빠의 後驗으로서 先驗이 있지만, 그 모든 것은 결국 無極而太極 안에 있다는 사실을 확인합니다. 구체적인 공간과 시간 속에서 이루어진 엄마아빠의 사랑은 별별 곡절이 많고 그만큼 비밀이 많지만, 우리 각자 자신의 몸에 나아가 생김 그 자체의 진실로서 性理를 이해하면, 결국 모든 엄마아빠의 사랑은 理發氣隨 안에 있습니다.

그러므로 陰陽과 五行을 몸-생김의 진실 그리고 우리 자신의 몸이 품고 있는 사랑의 진실로 이해하는데 우리가 성공하면 다음과 같은 주자의 설명은 진실로 아름다운 것입니다.

[1-0-1-67 『완역 성리대전』]
五行一陰陽, 陰陽一太極, 則非太極之後別生二五, 而二五之上先有太極也. 無極而太極, 太極本無極, 則非無極之後別生太極, 而太極之上先有無極也.
(주자가 말했다.) "오행은 하나의 음양이고, 음양은 하나의 태극이니, 태극 다음에 별도로 음양오행을 생하거나 음양오행보다 먼저 태극이 있는 것이 아니다. 무극이면서 태극이고, 태극은 본래 무극이니, 무극 다음에 별도로 태극을 생하거나 태극보다 먼저 무극이 있는 것이 아니다."

先驗綜合의 性氣로서 五行은 先驗分析의 性理를 구성하는 속성인 陰陽에서 유래하며, 性理의 陰陽은 단 하나의 실체로서 性理인 無極而太極 안에 존재합니다. 太極 앞에 無極을 둔 이유는 이 존재가 감각의 대상으로 존재하는 것이 아니기 때문입니다. 영원의 필연성 안에서 자기원인으로 존재한다는 사실을 강조합니다. 어떤 것을 감각한다는 것은 그것에 대한 後驗이기 때문에 이것으로 先驗을 이해한다는 것은 사실상 後驗의 한계 안에서 先驗을 이해하려는 억지입니다. 先

驗에 대한 인식이 아닙니다. 先驗에 대한 분명한 인식으로 先驗에 고유한 존재 그 자체의 진실을 확인하는 것이 無極而太極입니다.

이렇게 존재하는 無極而太極이 자기원인으로 존재하는 단 하나의 실체로서 영원무한의 생명과 사랑입니다. 이것을 몸과 마음으로 이해할 수 있으며, 동시에 엄마아빠의 몸과 마음으로 이해할 수 있습니다. 이 몸과 마음에 의해서 五行이 생겨나고, 다시 이것으로부터 자연의 모든 존재가 생겨납니다. 이렇게 先驗分析 안에 있는 先驗綜合으로부터 자연을 구성하는 모든 것이 생겨납니다. 오직 이 사실에 근거하여 자연의 모든 몸은 자기 존재에 관한 한 영원무한의 생명과 사랑에 의해서 영원무한의 생명과 사랑으로 존재하도록 결정되었습니다.

이 사실이 분명할 때, 즉 자연의 몸에 고유한 생김의 진실 및 그것이 품고 있는 논리가 무엇인지 분명할 때, 우리는 마침내 감각으로 지각하는 자연의 모든 몸 그 각각에 고유한 특성들을 영원무한의 생명과 사랑 안에서 참답게 이해할 수 있습니다. 우리 자신과 무한한 방식으로 무한하게 다른 자연의 모든 몸의 특성 및 인간 서로 간에 무한히 다른 몸의 특성에 대해서 올바르게 이해할 수 있습니다. 마침내 감각적으로 서로 다른 몸들에 대해서 묻고 배워서 그에 고유한 특성을 性理의 性氣로 이해할 수 있습니다. 즉, 純粹至善(순수지선) 안에서 서로 다른 기질지성(氣質之性)을 이해할 수 있습니다.

주자는 이 진실을 다음과 같이 확인합니다.

[1-0-1-76 『완역 성리대전』]
問: 五行均得太極否?

曰: 均.

曰: 人具五行, 物只得一行.

曰: 物亦具有五行, 只是得五行之偏者耳.

물었다. "오행이 균등하게 태극을 얻었습니까?"

(주자가) 답했다. "균등하다."

물었다. "사람은 오행을 다 갖추지만, 물건은 다만 그중에 하나만을 가졌습니다."

(주자가) 답했다. "물건도 오행을 다 갖추었으나, 다만 오행 중 치우친 것을 얻었을 뿐이다."

五行 모두가 균등하게 太極을 얻었다고 했습니다. 모든 것은 無極而太極 안에 존재하며 오직 無極而太極에 의해서 존재하도록 결정되었다는 사실을 확인합니다. 이 사실이 분명할 때 五行에 의해서 생겨난 모든 몸들의 생김, 즉 先驗綜合에 대해서 이해할 수 있습니다. "물건도 오행을 다 갖추었으나, 다만 오행 중 치우친 것을 얻었을 뿐이다."라고 말했습니다. 여기에서 우리는 매우 조심해야 합니다. 주자가 말하는 '치우친 것'이란 존재의 결함이나 그에 고유한 본성의 하자가 절대 아닙니다. 이미 모든 것은 無極而太極에 의해서 존재하도록 영원의 필연성으로 결정되어 있습니다. 이 사실에 근거하면 '치우침'을 그러한 방식으로 절대 이해할 수 없습니다.

이 진리는 앞에서 살펴본 "[1-0-1-72]"에 근거하여 보아도 이론의 여지가 없습니다. 우리는 이 주제를 지금 우리 자신의 몸에 근거하여 선명하게 이해할 수 있습니다. 우리 자신의 몸에 나아가 생김의 진실을 생각해 보면 영원무한의 생명과 사랑으로 존재하는 無極而太極에 의해서 우리의 생김이 결정되었다는 사실을 이해합니다. 이 사실 안에서 엄마의 몸과 아빠의 몸을 이해할 수 있습니다. 영원무한의 생명과 사랑입니다. 이 진실 안에서 지금 내 몸을 낳은 엄마아빠의 사랑을 공간과 시간 속에서 이루어진 後驗으로 바라보면, 여기에는 지금 '나'의 존재가 무한한 것과 같이 엄마아빠의 이야기 또한 무한합니다.

이 무한성은 서로 다르기 때문에 '치우침'이라는 말이 성립합니다. 엄마아빠의 사랑 이야기가 감각적으로 아름다울 수 있지만, 얼마든지 반대의 경우도 많습니다. 엄마아빠의 사랑 이야기를 정치적 또는 사회적 계급이나 계층으로 바라볼 수 있습니다. 가난한 엄마아빠의 사랑 이야기도 있고, 부유한 엄마아빠의 사랑 이야기도 있습니다. 얼마든지 신체적으로 건강하고 아름다운 엄마아빠의 사랑 이야기도 있지만, 얼마든지 그 반대의 사랑 이야기도 많습니다. 이처럼 엄마아빠의 사랑 이야기를 후험(後驗)의 감각적 현상으로 바라보면, '치우침'이라는 말이 지극히 당연합니다. 그러나 이것을 이해하는 방법은 先驗分析의 性理입니다. 이때 비로소 '치우침'은 순수지선의 무한한 다양성으로 올바르게 이해됩니다.

先驗綜合의 치우침을 先驗分析으로 이해해야 한다는 논리적 필연성 또는 정당성을 주자도 다음과 같이 확인합니다.

[1-0-1-80 『완역 성리대전』]
'成男成女, 萬物化生', 而無極之妙未嘗不在是焉.
(주자가 말했다.) "남성을 이루고 여성을 이루어 만물을 화생하는데, 무극의 미묘합은 여기에 있지 않은 적이 없다."

"남성을 이루고 여성을 이루어 만물을 화생하는데"는 내 몸의 생김에 관한 한 先驗綜合입니다. 그런데 "무극의 미묘함은 여기에 있지 않은 적이 없다."라고 말했습니다. 先驗分析 안에 先驗綜合이 있다는 사실을 확인합니다. 영원무한의 생명과 사랑이 진실로 지금 내 몸의 존재를 결정한 단 하나의 자기원인 또는 유일한 실체이기 때문에 우리가 우리 자신의 몸에 나아가 이 진실을 이해하는 한에서 눈에 보이는 엄마아빠의 사랑 이야기를 우리는 생명과 사랑 안에서 배우고 뉘우치며 올바르게 이해할 수 있다는 것입니다.

이러한 이해의 방법에 고유한 논리를 주자도 확인합니다.

[1-0-1-65 『완역 성리대전』]

自見在事物而觀之, 則陰陽函大極, 推原其本則太極生陰陽

(주자가 말했다.) "현재 사물로부터 보면 음양이 태극을 품었고, 그 근본을 캐 들어가면 태극이 음양을 생하였다."

"현재 사물"은 지금 우리 자신의 몸입니다. 여기에서 몸-생김의 진실을 생각해 보면, 엄마아빠를 생각하지 않을 수 없습니다. 그리고 이때의 엄마아빠는 생김의 先驗에 대한 分析 안에 있기 때문에 영원무한의 생명과 사랑입니다. 이 생각을 "현재 사물로부터 보면 음양이 태극을 품었고"라고 확인합니다. 그 결과 몸-생김에 고유한 논리적 필연성으로서 理發氣隨를 확인합니다. "근본을 캐 들어가면 태극이 음양을 생하였다."라고 명백히 말했습니다. 先驗分析의 性理가 존재하며, 이것을 無極而太極으로 정의합니다. 이 존재가 자기 안에 몸과 마음 또는 엄마와 아빠를 자신의 본질(속성)로 가지고 있으며, 자기원인 안에서 이 본질을 '양태화'(氣化)함으로써 자연의 모든 몸을 산출하였습니다.

그러므로 다음과 같이 性理에 고유한 논리를 확인하는 것은 지극히 당연한 것입니다.

> [1-0-1-79 『완역 성리대전』]
> 問: 氣之所聚, 理亦聚焉, 然理終為主, 此即所謂'妙合'也.
> 曰: 然.
> 물었다. "기가 모인 곳에 리가 또한 거기 있지만, 리가 결국 주인이니, 이것이 바로 이른바 '묘하게 합하였다'는 것입니다."
> (주자가) 답했다. "그렇다."

3. 後驗에도 존재하는 先驗分析

모든 것은 자기 생김에 관하여 자기원인으로 존재하는 단 하나의 실체로서 無極而太極(무극이태극)에 의해서 존재하도록 영원의 필연성으로 결정되어 있습니다. 우리는 모든 것의 생김을 '先驗綜合'(선험종합)으로 이해할 수 있지만 얼마든지 '先驗分析'(선험분석)으로 이해할 수 있습니다. 그러나 이 둘은 '선택의 문제'가 아니라 '논리의 문제'입니다. 어느 것이 먼저 분명할 때, 다음의 것이 올바르게 이해되는 것인지, 반드시 이해해야 합니다. 이 이해가 중요한 것은 우리의 인식에 상관없이 물은 위에서 아래로 흐른다는 것이 논리적 필연성인 것과 같이 우리 자신의 생김 또한 우리의 인식에 상관없이 논리적 필연성으로 존재하기 때문입니다.

이 문제의 답은 이미 앞에서 충분히 밝혔습니다. 영원성 그 자체로 모든 것은 性理 안에서 性理를 따라서 생겨나는 性氣에 의해서 생겨납니다. 先驗分析 안에서 先驗綜合이 존재하며, 이 진실 안에서 모든 몸이 생겨납니다. 주자는 다음과 같이 대답합니다.

> [1-0-1-81 『완역 성리대전』]
> 問: '萬物各具一太極', 此是以理言, 以氣言?
> 曰: 以理言.
> 물었다. "'만물이 각각 하나의 태극을 갖추었다.'는 것은 리로써 말한 것입니까, 기로써 말한 것입니까?"
> (주자가) 답했다. "리로써 말한 것이다."

모든 것은 영원무한의 생명과 사랑 안에서 영원무한의 생명과 사랑으로 생겨났습니다. "만물이 각각 하나의 태극을 갖추었다."라는 것이 이를 뜻합니다. 이것은 경험에 의존하는 후험일까요? 후험에 근거한 선험의 이해일까요? 이러한 방식으로는 절대 영원무한의 생명과 사랑을 이해할 수 없습니다. 마치 물이 '좌우'로 흐른다는 것만 바라본 결과 정작 물의 본성이 '위에서 아래'로 흐른다는 논리를 알 수 없게 되는 것과 같이, 우리가 경험이나 후험에 의존하여 선험을 이해하면 결코 영원무한의 생명과 사랑을 이해할 수 없습니다. 주자는 "리로써 말한 것이다."라고 확실하게 말합니다. 性理를 향한 인식이 명백합니다.

바로 이 지점에서 우리는 다음과 같은 질문을 할 수 있습니다.

영원의 필연성을 따라서 영원무한의 생명과 사랑 안에서 영원무한의 생명과 사랑으로 모든 몸이 생겨났다고 했는데, 우리는 왜 '죽음'을 경험하는가? 우리는 왜 생명과 사랑을 어기는 '잘못'을 하는가?

이 물음의 답은 사실 의외로 매우 쉽습니다. 우리가 생김의 先驗을 先驗分析의 性理에 기초한 인식과 先驗綜合의 性氣에 의존한 인식으로 나누어 말할 수 있는 것처럼, 우리는 얼마든지 後驗을 後驗分析에 기초하여 인식할 수 있고 반대로 後驗綜合에 의존하여 인식할 수 있습니다. 우리가 後驗에 대한 인식을 分析과 綜合으로 나누어 말할 수 있는 한에서 지금 이 질문은 分析이 아닌 綜合에 의존하여 제기된 것입니다. 그런데 우리는 조금 전까지 생김의 先驗을 이해함에 있어서 논리적 필연성을 性理의 분석에 두었습니다. 그렇다면 당연히 우리가 몸-생김의 진실을 先驗分析으로 이해하는 한에서 생김의 몸으로 살아간다는 감정과학의 자명한 공리(公理)에 입각하여 後驗에 대한 이해를 先驗分析으로 하는 것은 지극히 당연한 것입니다.

지금 '나' 자신의 몸은 영원무한의 생명과 사랑 안에서 영원무한의 생명과 사랑으로 생겨났습니다. 先驗分析으로 이해하는 생김의 진실입니다. 이 사실로부터 지금 '나'는 영원무한의 생명과 사랑의 몸으로 살아갑니다. 즉, 몸-놀이의 진실은 영원무한의 생명과 사랑입니다. 이러한 後驗의 진실은 절대적으로 綜合으로 알 수 없습니다. 왜냐하면 이 진실은 先驗分析에 의해서 영원의 필연성으로 연역되기 때문입니다. 分析의 사실을 綜合으로 이해하는 것은 방법의 오류입니다. 따라서 중요한 것은 우리 스스로 分析의 이해를 정립하는 것입니다.

주자는 몸-놀이의 진실이 몸-생김의 진실인 無極而太極 또는 性理의 先驗分析 안에 있다는 사실을 명확히 했습니다.

[1-0-1-69 『완역 성리대전』]

太極云者, 合天地萬物之理而一名之耳. 以其無器與形而天地萬物之理無不在是故, 曰無極而太極. 以其具天地萬物之物而無器與形故, 曰太極本無極. 是豈離乎生民日用之常而自為一物哉.

(주자가 말했다.) "태극이라는 것은 천지 만물의 리를 합하여 하나로 이름 붙인 것일 뿐이다. 용기나 모양이 없으면서도 천지 만물의 리가 여기에 있지 않은 것이 없으므로 '무극이면서 태극이다.'라고 하였다. 천지 만물의 리를 갖추었으면서도 용기나 모양이 없으므로 '태극은 본래 무극이다.'라고 하였다. 이것이 어찌 백성의 일상을 떠나서 홀로 한 물건이 된 것이겠는가?"

여기에서 매우 중요한 것은 "'태극은 본래 무극이다.'라고 하였다. 이것이 어찌 백성의 일상을 떠나서 홀로 한 물건이 된 것이겠는가?"라는 언급입니다. 백성의 일상은 몸으로 살아가는 몸-놀이, 즉 後驗입니다. 이것은 절대 無極而太極을 떠나지 않는다고 했습니다.

그러므로 우리에게 다음과 같은 개념 정의와 그에 기초한 결론은 필연적입니다.

【후험분석(後驗分析)으로서 정리(情理)】

우리는 몸-생김에서 유래하는 몸-놀이의 후험으로 살아간다. 그리고 우리에게 후험은 몸이 변화하는 감정을 느끼며 살아가는 것이므로 그것의 실상은 감정(情)이다. 한편, 우리는 몸-생김에 대한 이해를 先驗分析

으로 형성한다. 자기원인으로 존재하는 단 하나의 실체로서 無極而太極이 몸-생김 그 자체에 고유한 본성이므로 이 진실은 몸-놀이의 본성으로 존재한다. 無極而太極은 몸-생김의 진실이며 동시에 몸-놀이의 진실이다. 따라서 無極而太極은 몸-놀이의 감정에 고유한 본성으로 존재하므로, 몸-놀이의 후험에 고유한 본성을 後驗分析의 정리(情理)로 이해한다.

【영원무한의 생명과 사랑 안에 존재하는 감정】

감정은 몸-놀이를 통해서 자신을 무한한 방식으로 무한하게 드러낸다. 그러나 그 자체에 고유한 본성은 몸-생김의 진실인 영원무한의 생명과 사랑에서 연역된 것이다. 따라서 모든 감정은 영원으로부터 영원에 이르는 영원의 필연성으로 영원무한의 생명과 사랑 안에서 영원무한의 생명과 사랑으로 존재하도록 결정되어 있다. 우리가 감정에 나아가 그에 고유한 본성의 필연성을 인식하는 한에서 이 인식은 필연적으로 생명과 사랑만을 확인하고 증진한다.

5장. 後驗分析을 향한 知적인 사랑
후험분석 지

1. 後驗綜合의 무한한 다양성
후험종합

우리는 몸으로 생겨나 몸으로 살아갑니다. 엄밀히 말해서 우리의 현실은 '생김'에 있는 것이 아니라 '놀이'에 있습니다. 놀이에서 행복하기를 원하고 놀이에서 모두가 기분 좋게 살기를 원합니다. 그런데 우리의 놀이를 바라보면 우리가 원하는 놀이는 비현실적인 이상에 가까운 것 같습니다. 살인과 강도 그리고 강간 등과 같은 비극적인 뉴스가 우리 주위에 가득합니다. 이뿐이 아닙니다. 코로나 또는 독감 같은 바이러스가 우리의 건강을 해치며 소중한 사람의 생명을 빼앗아 갑니다. 영원무한의 생명과 사랑이 과연 자연의 진실인지, 자연 속을 살아가는 인간 세상의 진실인지 회의감이 듭니다.

이제 우리의 논의를 인간에 집중해 봅시다. 우리의 경험에 근거하면 어떤 이는 사람의 생명과 사랑을 소중히 여깁니다. 그러나 얼마든지 이와 정반대로 행동하는 사람도 많습니다. 쉽게 화를 내며 그만큼 쉽게 폭력을 행사하는 사람이 있습니다. 감당하기 어려운 감정의 기복을 겪는 사람도 있습니다. 이런 식으로 경험을 바라보면, 결국 '나' 자신을 제외한 모든 사람이 마음에 들지 않을 때가 많습니다. 어떤 때에는 심지어 '나' 스스로 '나' 자신이 마음에 들지 않습니다. 극단적으로 자실의 충동을 느끼기도 합니다. 결국 자살을 결심하고 결국 실행에 옮기는 분들도 많습니다.

그런데 지금까지 우리의 논의에 근거하면 영원으로부터 영원에 이르는 영원성 그 자체의 진실은 영원무한의 생명과 사랑입니다. 자기원인으로 존재하는 단 하나의 실체인 無極而太極(무극이태극)은 몸의 생김과 놀이를 일관하는 단 하나의 진리입니다. 이 진리에 근거하면 몸의 진실은 영원으로부터 영원에 이르는 영원성 그 자체로 생명과 사랑의 영원무한입니다. 몸이 생겨나기를 영원무한의 생명과 사랑이며, 그렇기 때문에 몸은 영원무한의 생명과 사랑으로 놀이하도록 결정되어 있습니다. 영원의 필연성으로 삼각형의 본성 안에서 삼각형이 생겨나고 삼각형을 그릴 수 있습니다. 같은 이치로 영원무한의 생명과 사랑 안에서 몸이 생겨나고 놀이합니다.

우리가 선험분석(先驗分析)의 성리(性理)로부터 필연적으로 연역되는 후험분석(後驗分析)의 정리(情理)에 고유한 본성을 위와 같이 확인하면, 몸은 자신의 생김과 놀이에 관한 한 절대적으로 性理와 情理의 진실을 따른다는 결론이 나옵니다. 無極而太極의 몸 안에서 자연을 구성하는 몸을 비롯하여 우리 자신의 몸이 무한한 방식으로 무한히 생겨나고 놀이합니다. 자연의 모든 몸이 철두철미 無極而太極의 몸 안에서 존재하고 작용합니다. '몸'을 음(陰) 또는 음합(陰合)으로 정의하는 근본 이유가 여기에 있습니다. 우리가 이 사실을 이해하는 한에서 몸의 생김과 놀이는 철두철미 생명과 사랑 안에 있습니다.

몸은 무한한 방식으로 무한하게 생겨나고, 그렇게 생겨난 몸은 동시에 무한한 방식으로 무한하게 놀이합니다. 그러나 이 무한성은 영원무한의 생명과 사랑으로 존재하는 無極而太極 안에 있습니다. 성리(性理) 안에서 성기(性氣)의 무한성이며, 정리(情理) 안에서 정기(情氣)의 무한성입니다. 이 지점에서 마침내 우리 모두는 무한한 방식으로 생겨나고 놀이하는 모든 '몸'은 절대적으로 자신의 생김과 놀이에 관한 한 그 어떤 오류나 잘못이 없다는 사실을 확인할 수 있어야 합니다. 우리가 이 사실에 대해서 명석판명의 이해를 형성했다고 믿고, 다시 우리의 질문으로 돌아가겠습니다.

우리의 질문은 다음과 같습니다.

영원무한의 생명과 사랑으로 생겨난 사람이 왜 자신의 놀이에서 악(惡) 또는 불선(不善)을 하는가?

이 물음에 관하여 '몸'에는 그 어떤 잘못이 없다는 사실이 이미 밝혀졌으므로 우리가 이제 살펴봐야 할 것은 '마음'입니다. 마음은 생각하는 것입니다. 생각한다는 사실이 마음의 존재를 증명합니다. 우리가 생각하고 있다는 사실은 우리의 생각 안에서 자명합니다. 이 자명한 사실이 우리에게 생각하는 마음이 존재한다는 사실을 최고의 완전성으로 증명합니다. 그런데 마음이 생각한다는 사실은 구체적으로 무엇을 뜻하는 것일까요? 이 물음에 대해서 많은 학자들의 많은 견해가 제시될 수 있지만, 감정과학의 대답은 매우 간단하며 매우 쉽습니다. 마음이 생각한다는 것은 몸의 변화(놀이)인 감정에 대해서 관념을 형성함으로써 감정으로 존재한다는 것입니다.

우선 마음에 대한 정의를 다음과 같이 할 수 있습니다.

【마음에 대한 정의】
마음은 자기 몸의 변화인 감정에 대해서 자기 스스로 생각함으로써 자기 스스로 그에 대한 개념을 형성하며, 그 개념으로 인해 몸의 변화인 감정과 본질적으로 동일하게 감정으로 존재한다.

위의 정의는 감정에 대한 다음과 같은 정의[사실상 공리(公理)]에 근거합니다.

【감정에 대한 기본 정의】
감정은 몸의 '변화'이다. 몸은 무한한 방식으로 무한히 변화하며, 그 모든 변화의 '순간 변화' 각각이 '감정'이다.

감정에 대한 기본 정의와 마음에 대한 정의에 근거하여 감정과학이 이해하는 '감정'을 다음과 같이 최종적으로 제시할 수 있습니다.

【감정과학이 이해하는 감정에 대한 정의】
감정은 무한한 방식으로 무한히 변화하는 몸의 변화에 고유한 순간 변화이며, 그와 동시에 마음은 자신의 생각 안에서 자기 스스로 그 순간 변화에 대한 개념을 형성함으로써 그 개념으로 존재한다.

【정의에 대한 해명】
몸으로 생겨나서 몸으로 살아간다는 우리의 자명한 진리에 근거하여 몸으로 살아간다는 것은 실질적으로 몸의 무한 변화로 살아간다는 것을 뜻한다. 우리 몸의 무한 변화는 우리 마음의 생각에 의해서 관념으로 지각되는데, 그것을 우리는 '감정'이라 부른다. 이는 '나는 기쁘다.' 또는 '나는 슬프다.'라는 우리의 일상 언어를 통해서 생각해 보면, 지극히 자명한 사실이다. 친구와 커피숍에서 만났을 때 우리는 수많은 이야기를 하는데, 결국 그 모든 이야기는 기분의 좋음 또는 나쁨으로 수렴된다는 일상의 경험에 근거하여 생각해 보면 더욱 쉽게 이해할 수 있다. 그러한 한에서 생각하는 우리의 마음은 현실적으로 몸의 순간 변화인 감정에 대한 개념을 형성함으로써 그 감정으로 존재한다.

이제 우리는 마음의 진실이 무엇인지 확인했습니다. 마음은 몸의 변화인 감정에 대한 개념을 형성함으로써 감정으로 존재하는 것입니다. 그런데 이미 충분히 논의한 바와 같이 마음의 기능은 생각하는 것이라고 했으므로 감정으로 존재하는 마음은 당연히 생각을 합니다. 따라서 다음의 명제가 성립합니다.

'생각하는 마음'이 곧 '생각하는 감정'이다.

이 명제로부터 새로운 질문이 제기됩니다. 생각하는 감정은 무엇에 대해서 생각을 할까요? 이 물음에 대한 답 역시 이미 우리에게 주어져 있습니다. 생각한다는 것은 엄밀히 말해서 원인과 결과의 필연성을 생각하는 것입니다. 이 사실은 우리 자신의 몸에 대한 우리 자신의 마음에 의해서 이미 증명된 것입니다. 특히 '나' 스스로 '나'의 몸에 나아가 생김에 대해서 생각해 보면, '나'의 마음은 너무나 자연스럽고 당연하게 생김을 인과의 필연성으로 이해하며, 이 이해는 구체적으로 엄마아빠의 존재를 자기 존재에 고유한 원인의 필연성으로 확인하는 것입니다. 이 사실은 어린이들에게 특히 분명합니다.

'생각'에 고유한 본성은 원인과 결과의 필연성을 향한 인식이라는 사실이 밝혀졌으므로 감정으로 존재하는 마음이 생각한다고 할 때 이 생각은 당연히 현실적인 자기 존재로서 감정에 고유한 원인과 결과의 필연성을 생각하는 것입니다. 감정과학은 이것을 감정의 '자기

이해'라고 정의합니다.

【감정의 자기이해】

　생각하는 마음이 자기 몸의 순간 변화인 감정에 대한 개념을 형성함으로써 감정으로 존재할 때, 이 마음은 '생각하는 감정'으로 존재한다. 그리고 생각의 본성은 원인과 결과의 필연성을 생각하는 것이므로 생각하는 감정은 자기 존재에 고유한 원인과 결과의 필연성을 자기 안에서 자기 스스로 생각하고 이해한다. 이것이 감정의 자기이해이다.

　생각하는 감정은 '감정의 자기이해'를 통해서 자신의 놀이를 이해합니다. 생각하는 감정은 자기이해에 기초하여 구체적인 행동(놀이)을 결정합니다. 그런데 바로 이 지점에서 뜻밖의 문제가 발생합니다. 감정은 자기 스스로 자기이해를 형성했다고 생각했지만, 뜻밖에 그 이해가 자기이해가 아닌 인식의 비극으로 흐를 수 있다는 것입니다. 감정의 자기이해는 다음과 같은 논리적 필연성을 따릅니다.

【감정의 자기이해에 고유한 논리적 필연성】

　감정은 '몸-놀이'이다. 무한한 방식으로 무한하게 생겨나고 변화하는 몸의 순간 변화가 감정이다. 생각하는 마음은 이 모든 순간 변화에 대해서 자기 스스로 생각함으로서 자기 스스로 개념을 형성하며, 그 찰나의 순간에 몸의 순간 변화인 감정과 동일하게 그 감정으로 존재한다. 그런데 감정 그 자체는 '몸-놀이'가 분명하기 때문에 이것의 본성은 당연히 자기에게 앞서는 '몸-생김'의 본성에서 연역된다. 그런데 몸-생김 그 자체의 본성은 선험분석(先驗分析)의 성리(性理) 또는 자기원인으로 존재하는 단 하나의 실체인 무극이태극(無極而太極)이다.

이것은 영원의 필연성 안에서 영원무한의 생명과 사랑이다. 이것이 몸-생김에 고유한 본성의 필연성이므로 이것은 동시에 몸-놀이에 고유한 본성의 필연성이다. 이 본성을 정리(情理)라고 한다. 그렇기 때문에 情理는 영원무한의 생명과 사랑인 無極而太極 안에서 무한한 방식으로 무한하게 생겨나고 변화한다. 이로부터 다음과 같은 결론은 필연적이다. 무한한 방식으로 무한한 몸-놀이, 즉 정기(情氣)를 결정하는 유일한 원인은 몸-생김의 진실로서 性理로부터 필연적으로 연역되는 情理이다. 자연의 무한한 감정은 오직 情理 안에서 情理만을 따라서 생겨나고 변화한다.

우리가 위와 같이 감정에 고유한 인과의 필연성을 확인하면, 감정은 절대적으로 외부 원인에 의해서 결정되지 않는다. 무한한 방식으로 무한한 情氣의 감정은 영원의 필연성 안에서 자기원인으로 존재하는 情理에 의해서 무한한 방식으로 무한하게 존재하도록 결정되어 있다. 그리고 이 情理는 情氣를 초월해서 존재하는 것이 아니라 무한한 情氣 안에서 그에 고유한 본성의 필연성으로 존재하는 내재적 원인이다. 왜냐하면 情理를 그에 앞선 性理에 근거하여 이해하는 한에서 性理의 진실은 무한한 방식으로 무한하게 몸을 산출하는 무한한 性氣 그 자체에 고유한 본성의 필연성, 즉 내재적 원인이기 때문이다.

우리 몸에 나아가 몸에 대한 우리 자신의 생각 안에서 無極而太極의 존재를 영원의 필연성으로 인식하는 한에서 性理는 지금 내 몸(性氣)의 생김에 고유한 본성의 영원한 필연성이다. 이 진실로부터 情理의 진실이 연역된다. 이 사실에 입각하여 단 하나의 실체로서 情理는 무한한 情氣 안에 존재하며, 동시에 무한한 방식으로 무한하게 생겨나고 변화하는 情氣의 유일하면서도 궁극적인 원인이다. 그렇기 때문에 몸의 순간 변화로서 情氣의 감정은 자기 안에 본래부터 품고 있는 情理를 유일한 자기 존재의 필연적 본성으로 갖는다.

물론 우리 몸은 무한한 방식으로 무한하게 생겨나고 놀이하는 무한한 몸과의 변화를 통해서 순간 변화를 무한히 겪는다. 우리 자신의 몸도 무한히 변화하는 놀이를 한다. 자연의 모든 몸이 그렇게 놀이한다. 이 놀이 안에서 무한한 교차가 이루어지면서 그로부터 모든 몸이 무한히 변화하는 놀이를 겪는다. 그러나 그 모든 몸은 각자 자신의 생김과 놀이에 관한 한 인과의 필연성에 근거하여 無極而太極 안에 존재한다. 모든 몸은 영원무한의 생명과 사랑 안에서 생겨났으므로 놀이 안에서 무한한 몸이 무한히 교차함으로써 무한히 변화하는 놀이를 겪는다고 하여도 그 모든 놀이는 결국 영원무한의 생명과 사랑 안에 있다.

영원무한의 생명과 사랑 안에서 몸은 순간 변화를 하며, 구체적인 감정으로 드러난다. 마음도 자신의 생각 안에서 그 변화에 대한 개념을 형성함으로서 감정으로 존재한다. 이렇게 생각하는 감정이 생각을 한다고 할 때, 이 생각은 앞에서 이미 밝힌 바와 같이 자기 존재에 고유한 인과의 필연성을 향한 인식이라고 했다. 이 사실이 분명하다면, 생각하는 감정은 무엇보다도 자기이해에 관하여 자기 안에 본래부터 존재하는 情理를 이해하고, 그것으로 자기 존재의 인과적 필연성을 확인해야 한다. 그 결과는 무엇일까? 당연히 영원무한의 생명과 사랑이다. 이것 이외 다른 것을 절대적으로 생각할 수 없다. 왜냐하면 오직 性理에서 연역되는 情理가 情氣에 고유한 필연성이기 때문이다.

이렇게 지금 현실적으로 존재하는 생각하는 '감정'(=몸의 순간 변화)이 자기이해를 올바르게 형성하는 한에서 감정의 자기이해는 절대적으로 생명과 사랑만을 이해하며 생명과 사랑만을 자신의 행복으로 욕망하게 되어 있다. 왜냐하면 생각하는 감정에게 이 이해의 형성과 그것을 향한 욕망만이 자신의 생명과 사랑을 영원무한으로 확인하기 때문이다. 이로부터 감정이 자기이해를 추구한다고 할 때 그것의 옳음과 그름에 대해서 분명히 판단할 수 있게 된다.

① 감정의 자기이해의 바름

: 생각하는 감정이 자기원인으로 존재하는 情理에 근거하여 자기 본성에 대한 분명한 인식을 확립하면, 감정의 자기이해는 타당한 것이다. 그 결과 생명과 사랑을 어기지 않는다.

② 감정의 자기이해의 오류

: 생각하는 감정이 자기 존재에 고유한 본성의 필연성으로서 情理에 대한 명확한 인식을 결여하면, 그 즉시 생각하는 감정은 자기 존재가 자기 본성 아닌 외부의 다른 것에 의해서 결정되었다는 인식의 오류에 빠지게 된다. 그 결과 그 원인을 긍정하거 부정하려는 오류에 빠지고 끝내 생명과 사랑을 어기는 잘못을 하게 된다. '너 때문에 화났어!'라는 말은 감정의 자기이해가 오류에 빠져 있다는 것을 단적으로 보여준다.

그러므로 후험의 몸-놀이가 뜻밖에 생명과 사랑을 어기는 이유가 근본적으로 어디에 있는지 우리는 분명히 파악할 수 있다. 몸은 생김과 놀이에 관하여 절대적으로 無極而太極의 몸 안에 있다. 사실상 마음도 이와 동일하다. 無極而太極의 마음 안에 있다. 그런데 감정으로 존재하는 생각하는 마음은 자기 몸의 순간 변화인 감정에 대한 원인을 파악함에 있어서 자기 외부에 있는 또 다른 몸(감정)에 둘 수 있으며, 얼마든지 몸 그 자체의 고유한 본성인 性理로부터 연역되는 몸-놀이의 본성으로서 자기원인의 情理 안에 둘 수 있다. 전자는 인식의 오류이나, 후자는 인식의 진리이다. 마음을 양동(陽動) 또는 양변(陽變)으로 정의하는 이유가 여기에 있다.

감정의 자기이해에 고유한 논리가 무엇인지 위와 같이 정리하녀, 우리가 찾는 문제의 답 내지는 문제 해결 방법은 지극히 간단합니다.

감정으로 존재하는 생각하는 마음이 자기이해에 관하여 자기 본성의 필연성인 情理를 분명하게 인식하고 그 안에서 현실적으로 존재하는 자기의 생김 및 변화를 이해하는 것입니다. 이와 같은 결론에서 불구하고 여전히 우리에게는 풀리지 않는 문제가 있습니다.

무슨 이유로 생각하는 마음은 감정의 자기이해를 형성함에 있어서 인식의 오류를 범하는가?

이 문제의 답은 우리가 몸으로 생겨나서 몸으로 살아간다는 사실에서 찾을 수 있습니다. 우리 자신의 몸은 性理를 따라서 무한히 생겨나는 몸(性氣) 가운데 하나입니다. 우리 자신의 감정도 마찬가지입니다. 우리가 느끼는 감정은 情理를 따라서 무한히 생겨나는 감정(情氣) 가운데 하나입니다. 우리의 몸과 감정은 무한한 몸과 감정 가운데 하나이며, 그러한 한에서 몸-놀이는 무한한 방식으로 무한한 몸-놀이의 교차 한 가운데 있습니다. 이러한 무한성에 비례하여 생각하는 감정은 얼마든지 자기이해를 형성함에 있어서 자기이해를 외부 원인에 둘 수 있습니다. 이것은 오류가 아니라 情氣의 무한성 안에서 무한히 교차하는 情氣의 놀이로부터 지극히 당연한 것입니다.

이 당연한 진실을 주자도 다음과 같이 확인합니다.

[1-0-1-74 『완역 성리대전』]
問: 五行之生各一其性, 五性感動而善惡分, 此性字是兼氣稟言之否

曰: 性離氣稟不得, 有氣稟, 性方存在裏面. 無氣稟, 性便無所寄搭了. 稟得氣淸者性便在淸氣之中, 這淸氣不隔蔽那善. 稟得氣濁者性又在濁氣之中爲濁氣所蔽. 五行之生各一其性, 這又隨物各具去了

물었다. "'오행이 생함에 각각 그 성을 하나씩 지니고, 다섯 개의 성이 감지 발동하여 선악이 나뉜다.'에서 이 성은 기품을 겸하여서 말한 것입니까?"

(주자가) 답했다. "성은 기품을 떠날 수 없다. 기품이 있으면, 성은 바로 그 속에 있다. 기품이 없으면 성은 곧 붙을 곳이 없다. 받은 기가 맑은 자는 성이 곧 맑은 기 속에 있으므로 이 맑은 기가 그 선을 가리지 않는다. 받은 기가 탁한 자는 성이 또한 탁한 기 속에 있으므로 탁한 기에 가린다. '오행이 생함에 각각 그 성을 하나씩 지닌다.'는 이것은 또 물건마다 각각 갖춰가는 것이다."

情氣의 무한성 및 그 속에서 이루어지는 교차의 무한성은 결국 좋음과 싫음을 느끼는 호오(好惡) 또는 선악(善惡)의 감정입니다. 이로부터 '생각하는 감정'은 '좋다'(好)고 느끼는 것에 대해서 그것의 생김을 '선'(善)으로 판단하며 느끼고, 반대로 '싫다'(惡)고 느끼는 것에 대해서 그것의 생김을 '악'(惡)으로 판단하며 느낍니다. 이때 마음이 자기 본성인 無極而太極의 마음 안에서 올바르게 생각하면 善으로 판단하며 느낀 것이 뜻밖에 인식의 오류에 의해서 발생하는 것임을 뉘우칠 수 있습니다. 같은 이치로 惡으로 판단하며 느낀 것이 뜻밖에 인식의 오류에 의해서 발생한 것이라서 사실은 순수지선(純粹至善)으로 존재하고 있다는 사실을 뉘우칩니다.

우리가 이 방식으로 놀이의 비극을 이해하면 진실로 중요한 것은 생각하는 마음 또는 생각하는 감정의 자기이해입니다. 그러나 우리는 이 지점에서 전혀 걱정할 필요가 없습니다. 생각하는 감정은 자기 몸의 순산 변화가 無極而太極의 몸을 본성으로 갖는 것과 같이 無極而太極의 마음을 자신의 본성으로 갖습니다. 생각하는 감정도 몸의 순간 변화가 영원의 필연성으로 無極而太極의 몸 안에 존재하는 것과 같이 영원의 필연성으로 無極而太極의 마음 안에 존재합니다. 주자는 이 사실을 "받은 기가 맑은 자는 성이 곧 맑은 기 속에 있으므로 이 맑은 기가 그 선을 가리지 않는다."라고 말함으로써 확인합니다. 이 사실이 분명하므로 '생각하는 감정'은 자기이해의 오류를 치유합니다.

받은 氣가 맑다는 것은 생각하는 마음이 無極而太極의 마음 안에 존재한다는 사실을 뜻합니다. 그렇기 때문에 마음이 자기 본성 안에서 잘 생각하는 한에서 현실적인 감정으로 존재하는 마음(情氣)은 無極而太極의 마음으로 자신을 이해합니다. "이 맑은 기가 그 선을 가리지 않는다."는 뜻입니다. 그러나 생각하는 마음은 현실적으로 감정의 무한 양태 가운데 하나인 정기(情氣)로 존재할 뿐만 아니라 같은 방식으로 존재하는 무한 양태의 情氣와 무한히 교차하며 변화합니다. 감정의 이러한 유한성을 "받은 기가 탁한 자"라고 부릅니다. 탁하다는 것은 나쁜 것이 아니라 현실적으로 존재하는 情氣를 情理와 구분하여 말할 때 발생합니다. 그렇기 때문에 생각하는 감정이 情理가 아닌 情氣의 교차 안에서 자신을 이해하면, 이것을 "탁한 기 속에 있으므로 탁한 기에 가린다."라고 설명할 뿐입니다.

감정과학이 이와 같은 방식으로 생각하는 감정을 이해할 수 있는 근거는 아래에 제시하는 주자의 논설에 근거하여 분명합니다.

[1-0-1-75 『완역 성리대전』]
金木水火土, 雖曰五行各一其性, 然一物又各具五行之理, 不可不知. 康節曾細推來.
(주자가 말했다.) "금 목 수 화 토에서 비록 '오행이 각각 그 성을

하나씩 지닌다.'고 하더라도 한 물건은 또 각각 오행의 리를 갖춘다는 것을 알지 않으면 안 된다. 강절이 일찍이 자세히 연역했다."

몸은 절대적으로 생김과 놀이에 관하여 性理와 情理를 일관하는 無極而太極 안에 있습니다. 마음의 진실도 이와 같습니다. 마음이 인과의 필연성을 자기 본성에 고유한 無極而太極의 마음으로 형성할 때, 생각하는 감정은 자기이해를 오직 영원무한의 필연성으로 정립합니다. 이것으로 감정의 진실은 영원무한의 생명과 사랑으로 증명됩니다. 이렇게 자기이해의 명석판명으로 존재하는 감정은 자기가 교차하는 情氣의 무한성을 자기이해와 같은 방식으로 이해하며, 궁극적으로 모든 감정이 情理라는 영원의 필연성 안에 존재한다는 사실을 확인합니다. 이것으로 생명과 사랑을 무한한 방식으로 무한히 배우며 증진합니다.

우리가 이렇게 무한한 방식으로 무한한 情氣의 감정을 情理로 이해한다는 것은 무한한 情氣 각각에 나아가 그에 고유한 필연성을 영원성으로 이해하는 것입니다. 몸-생김의 진실이 영원의 필연성 안에 있다면 당연히 생김의 몸으로 놀이한다는 公理에 근거하여 몸-놀이의 진실 또한 영원의 필연성 안에 있습니다. 이러한 영원의 필연성을 무한한 방식으로 무한한 감정에 나아가 그 각각에 고유한 본성의 필연성으로 이해하면, 그것이 곧 情理 안에서 情氣를 영원무한의 생명과 사랑으로 확인하는 것입니다. 감정의 자기이해가 이러한 방식으로 전개되면, 자연 안의 그 어떤 감정(몸의 순간 변화)도 자기 존재에 관하여 부정되지 않습니다.

이 사실을 주자도 다음과 같이 확인합니다.

[1-0-1-78 『완역 성리대전』]

氣質之性, 只是此理墮在氣質之中, 故隨氣質而自為一性, 周子所謂'各一
其性'者. 向使元無本然之性, 則氣質之性從何處得來.

(주자가 말했다.) "기질지성은 다만 이 리가 기질 속에 떨어진 것이
므로 기질을 따라서 저절로 하나의 성이 되니, 주자 말한 '각각 그 성을
하나씩 지닌다.'는 것이다. 만일 원래 본연지성이 없다면, 기질지성은 어
디에서 구해오겠는가?"

몸은 무한한 방식으로 무한하게 생겨납니다. 그러나 그 어떤 몸
도 자신의 생김에 관하여 우연성을 본성으로 갖지 않습니다. 영원의
필연성 안에서 자기원인으로 존재하는 단 하나의 실체로서 無極而太
極의 몸에 의해서 영원의 필연성으로 존재하도록 결정되어 있습니다.
그렇기 때문에 자연 안에서 무한히 생겨나는 몸에 나아가 그 각각에
고유한 본성의 필연성을 이해하는 것이 性理를 인식하는 것이며, 이
인식은 몸-생김의 무한성에 비례하여 무한합니다. 이 인식을 지금
'나'의 몸으로 존재하는 '나'의 마음이 형성합니다.

같은 방식으로 몸-놀이의 감정을 이해할 수 있습니다. 그 어떤
감정도 자신의 생김에 관하여 우연성을 본성으로 갖지 않습니다. 영
원의 필연성 안에서 자기원인으로 존재하는 단 하나의 실체로서 無
極而太極의 감정(情理)에 의해서 영원의 필연성으로 존재하도록 결정
되어 있습니다. 그렇기 때문에 자연 안에서 무한히 생겨나는 감정에
나아가 그 각각에 고유한 본성의 필연성을 이해하는 것이 情理를 인
식하는 것이며, 이 인식은 몸-놀이의 무한성에 비례하여 무한합니다.
이 인식을 지금 감정으로 존재하는 생각하는 '나'의 마음이 형성합니
다.

결국 단 하나의 실체로 존재하는 無極而太極의 몸이 모든 몸으로 생겨나며 변화하고, 단 하나의 실체로 존재하는 無極而太極의 감정이 모든 감정으로 생겨나며 변화합니다. 그렇기 때문에 우리가 性理로부터 性氣라는 리발기수(理發氣隨)의 필연성을 이해하며 동시에 情理로부터 情氣라는 리발기수(理發氣隨)의 필연성을 이해하는 한, 단 하나의 실체가 동시에 무한한 양태이며 무한한 양태가 동시에 단 하나의 실체입니다. 단 하나의 필연성 또는 단 하나의 실체는 무한한 몸-생김과 무한한 몸-놀이에 고유한 본성의 필연성으로 무한히 존재한다는 사실을 이해해야 합니다.

이 이해를 주자는 다음과 같이 확인합니다.

[1-0-1-82 『완역 성리대전』]

太極非是別為一物, 即陰陽而在陰陽, 即五行而在五行, 即萬物而在萬物, 只是一箇理而已. 因其極至故, 名曰太極.

(주자가 말했다.) "태극은 별도의 한 물건이 아니다. 음양에서 보면 음양에 있고, 오행에서 보면 오행에 있고, 만물에서 보면 만물에 있지만, 하나의 리일 뿐이다. 지극함 때문에 태극이라고 이름 붙였다."

그러므로 무한한 방식으로 무한한 후험종합(後驗綜合)의 정기(情氣)에 대한 올바른 이해는 그에 고유한 본성으로서 후험분석(後驗分析)의 정리(情理)에 있습니다. 몸의 순간 변화에 대한 개념을 형성함으로써 감정으로 존재하는 생각하는 마음이 자기 본성의 필연성인 情理를 인식하면, 무한한 감정에 대한 참다운 이해는 그 각각에 고유한 필연성을 이해하는 것입니다. 이 이해로부터 그 어떤 감정도 자기 존재를 부정당하지 않으므로 그 즉시 영원무한의 생명과 사랑이 감정의 진실로 드러납니다.

2. 본래 다 좋은 세상, 後驗綜合
후험종합

우리가 후험분석(後驗分析)으로서 정리(情理)에 대한 이해가 분명하면, 모든 몸은 영원무한의 생명과 사랑 그 자체인 無極而太極의 순수지선 안에서 생겨나며 놀이한다는 진리를 영원의 필연성으로 확인합니다. 몸의 생김도 無極而太極 안에 있으며, 몸의 놀이도 無極而太極 안에 있습니다. 無極而太極 안에 몸의 생김과 놀이가 있습니다. 영원불변으로 결정된 이 진리를 주자도 다음과 같이 확인합니다.

> [1-0-1-84 『완역 성리대전』]
> 太極只是箇極好至善底道理. 人人有一太極, 物物有一太極. 周子所謂太極, 是天地人物萬善至好底表德.
> (주자가 말했다.) "태극은 다만 지극히 좋고 지극히 선한 도리이다. 사람마다 하나의 태극이 있고 물건마다 하나의 태극이 있다. 주자가 말한 태극은 천지와 사람과 만물의 모든 선과 지극히 좋은 것의 별칭이다."

"태극은 천지와 사람과 만물의 모든 선과 지극히 좋은 것의 별칭이다." 라고 분명히 말했습니다. 자연을 구성하는 모든 몸은 그 자체로 순수지선입니다. 그리고 이것은 지금 우리 자신의 진실이기도 합니다. "사람마다 하나의 태극이 있고 물건마다 하나의 태극이 있다."라고 했습니다. 이로부터 자연을 구성하는 모든 몸의 변화도 당연히 純粹至善 그 자체인 無極而太極 안에 있다는 결론이 영원의 필연성으로 연역됩니다. 지금 현실적으로 존재하는 몸 안에 無極而太極이 존재하고 있다면, 몸의 변화도 영원의 필연성으로 無極而太極 안에 있습니다.

이러한 진리의 필연성을 우리 자신의 이성으로 명백하게 이해할 때, 마침내 우리는 '性氣'와 '情氣'의 무한성을 즐기며 그 각각에 고유한 純粹至善의 아름다움을 배워서 이해할 수 있습니다.

[1-0-1-85 『완역 성리대전』]
問: 自太極以至萬物化生, 只是一箇圈子, 何嘗有異?
曰: 人物本同, 氣稟有異, 故不同.
물었다. "'태극으로부터 만물이 화생한다.'까지 다만 하나의 원일 뿐인데, 어찌 다름이 있겠는가?"
(주자가) 답했다. "사람과 만물은 본래 같으나, 기품에 다름이 있으므로 같지 않다."

모든 몸은 無極而太極의 몸 안에서 생겨나고 놀이합니다. 그러나 이 몸으로부터 구체적인 양태(氣)로 드러난 것들은 性理 안에 있는 氣(몸과 마음)에 의해서 무한한 방식으로 무한히 다르게 생겨납니다. 주자는 이 사실을 "기품에 다름이 있으므로 같지 않다."라고 확인합니다. 이것은 우리의 몸에 근거하여 쉽게 이해할 수 있습니다. 삼각형의 본성으로부터 우리는 제각각 그리고 싶은 삼각형을 무한히 다르게 그릴 수 있습니다. 그러나 그 모든 삼각형은 삼각형의 본성 안에 있습니다. 같은 이치로 우리의 몸은 서로 다른 엄마의 몸과 아빠의 몸이 본래 하나라는 사실을 확인하는 사랑 안에서 무한한 방식으로 무한하게 생겨납니다. 이 사랑 안에서 엄마아빠의 사랑 이야기가 있으며, 이 사랑에 의해서 무한한 몸이 생겨납니다.

그러므로 다음과 같은 결론은 필연적입니다.

무한한 性氣는 영원무한의 생명과 사랑 그 자체인 단 하나의 실체로서 性理에 의해서 생겨나도록 결정되어 있으므로 무한히 생겨난 몸으로 구성된 자연의 진실은 순수지선의 무한 집합이다. 같은 방식으로 무한한 情氣는 영원무한의 생명과 사랑 그 자체인 단 하나의 실체로서 情理에 의해서 생겨나도록 결정되어 있으므로 무한히 생겨난 감정으로 구성된 자연의 진실은 순수지선의 무한 집합이다. 따라서 後驗의 綜合은 情理 안에서 본래부터 영원의 필연성으로 純粹至善의 세상, 즉 다 좋은 세상이다.

3. 後驗綜合의 後驗分析 이해
후 험 종 합   후 험 분 석

몸은 절대적으로 오류가 없습니다. 몸은 영원의 필연성 안에서 영원무한의 생명과 사랑 안에서 생겨나며 놀이합니다. 이 진실을 부정하는 몸-생김이나 몸-놀이는 영원으로부터 영원에 이르는 영원성으로 존재하지 않습니다. 성리(性理) 안에서 무한한 몸이 무한한 방식으로 생겨납니다. 생겨난 몸의 구체적인 양태로서 성기(性氣)는 철두철미 性理 안에 있습니다. 이러한 性理의 진실이 동시에 몸-놀이의 진실입니다. 정리(情理) 안에서 무한한 감정이 무한한 방식으로 생겨납니다. 감정의 구체적인 양태로서 정기(情氣)는 철두철미 情理 안에 있습니다.

이 사실에 근거하여 몸의 생김과 놀이에 대한 인식의 오류는 '몸'(감정)이 아닌 몸(감정)에 대한 '마음'의 생각에 있습니다. 이 지점에서 우리는 학문의 핵심이 마음으로 하여금 자기 몸의 생김과 놀이에 대한 타당한 인식을 형성하도록 인도하는 데에 있다는 것을 확인할 수 있습니다. 학문의 핵심은 마음으로 하여금 몸의 생김이나 놀이를 감각적 현상에 의존하여 해석하게 함으로써 어떤 수준이나 경지로 끌고 가는 억지가 절대 아닙니다. 영원성 안에서 몸은 생명과 사랑으로 생겨나고 놀이합니다. 마음이 이러한 자기 몸의 진실을 이해하도록 돕는 것이 학문입니다.

삶의 모든 비극은 생각하는 마음이 자기 몸의 생김과 놀이에 관하여 타당하지 못한 인식을 형성하고, 그에 의존하여 타당하지 못한 결정을 했기 때문에 발생합니다. 자기 몸의 생김이 영원의 필연성 안에서 영원무한의 생명과 사랑에 의해서 오직 생명과 사랑으로 결정되었다는 사실을 알지 못하면, 그 즉시 마음은 끝을 알 수 없는 자기 존재의 불완전성에 몰입하게 됩니다. 자기 생김의 진실이 얼마나 거룩하고 성스러운지 알지 못합니다. 이와 같은 결핍증에 자기 생김의 진실을 가두게 되면, 그 즉시 몸-놀이에 대해서도 같은 방식으로 잘못 이해하게 됩니다. 행복한 삶을 누릴 수 없습니다.

그러나 자기 스스로 자기 몸의 생김과 놀이에 대한 타당한 인식을 형성하게 되면, 그 즉시 자기는 최고의 완전성 안에서 최고의 행복으로 자신의 생김과 놀이를 이해합니다. 자신의 몸을 비롯해서 세상의 모든 몸을 생명과 사랑 안에서 이해합니다. 이렇게 생명과 사랑 안에서 자신의 생김을 비롯해서 세상 모든 것의 생김을 이해하는 사람은 몸-놀이에서도 같은 방식으로 이해합니다. 모든 몸의 놀이에 나아가 그에 고유한 본성을 영원무한의 생명과 사랑 안에서 이해합니다. 그 결과 모든 놀이를 순수지선으로 이해합니다. 삶의 매 순간을 성스러운 행복으로 누리는 방법이 여기에 있습니다.

결국 문제의 원인을 굳이 찾는다면 그것은 어디에 있을까요? 몸이 아니라 마음에 있습니다. 그러나 이 지점에서 절대 마음을 비난하거나 천한 것으로 여겨서는 안 됩니다. 왜냐하면 우리의 엄연한 현실은 성기(性氣)로부터 정기(情氣)이기 때문입니다. 마음은 자기 몸의 생김을 性氣로 이해하며 자기 몸의 놀이도 情氣로 이해합니다. 이것은 자연스러운 것이며 당연한 것입니다. 그러나 마음이 자신의 현실인 性氣와 情氣에 대한 타당한 인식을 형성했는지 여부는 또 다른 문제입니다. 계속해서 논의하고 있듯이 영원의 필연성 안에서 性氣는 性理를 자기 존재에 고유한 본성으로 품고 있으며 情氣 또한 性理로부터 필연적으로 연역되는 情理를 자기 본성의 필연성으로 갖습니다.

몸의 생김과 놀이에 고유한 진리의 필연성에 근거하여 마음이 형성하는 타당한 인식이 무엇인지 명백하게 정리할 수 있습니다. 性氣와 情氣로 자신의 현실적 존재를 이해하는 마음이 자신을 이해한다고 할 때, 이 이해는 당연히 性理 안에서 性氣를 이해하는 것이며 情理 안에서 情氣를 이해하는 것입니다. 생김과 놀이의 모든 현상을 그에 고유한 본성의 필연성으로 이해하는 것입니다. 이로부터 학문의 핵심이 무엇인지 알 수 있습니다. 마음은 자기원인으로 존재하는 단 하나의 실체, 즉 無極而太極을 자기 몸의 생김과 놀이에 고유한 본성의 필연성으로 이해하는 것입니다. 더 나아가 모든 몸의 생김과 놀이를 無極而太極 안에서 이해하는 것입니다.

마음은 이러한 이해를 형성하는 능력을 본래부터 자기 안에 품고 있습니다. 무엇보다도 마음은 자기 존재에 관하여 無極而太極의 마음에서 유래합니다. 無極而太極의 몸 안에 모든 몸이 생겨나고 놀이하는 것과 같이 無極而太極의 마음 안에 모든 마음이 자기 몸의 진실과 동일하게 생겨나고 놀이합니다. 다음으로 마음의 생각은 본질적으로 몸의 순간 변화인 감정에 대한 관념을 형성함으로써 그와 동시에 자신의 존재를 감정으로 이해합니다. 몸의 순간 변화가 情理 안에 있다면, 그에 대한 관념을 마음이 형성할 때 그 관념 안에는 당연히 情理가 존재합니다. 그러한 한에서 생각하는 감정이 자기 안에 있는 情理를 자기이해로 인식하는 것은 자신의 본질적 능력입니다.

마음의 진실이, 정확히 말해서 인간 마음의 진실이 이렇게 성스럽습니다. 생각하는 인간의 마음만이 이러한 이해를 최고의 완전성 그 자체로 형성합니다. 일례로 집에서 함께 살아가는 반려견이나 반려묘가 자기 생김의 진실에 대해서 생각하거나 배우지 않습니다. 오직 인간만이 자기 생김에 대해서 생각하며 그 안에서 생김의 진실을 영원의 필연성으로 인식합니다. 놀이에 대해서도 마찬가지입니다. 이러한 맥락에서 학문의 핵심은 신비스럽거나 어려운 것이 아닙니다. 학문은 우리 마음의 본질적 능력에 근거하여 몸의 생김과 놀이에 대해서 참다운 인식을 형성하는 것입니다.

이 사실을 주자도 다음과 같이 확인합니다.

[1-0-1-86 『완역 성리대전』]

問: 靈處是心, 抑是性?

曰: 靈處只是心, 不是性. 性只是理.

물었다. "허령한 것은 심입니까, 성입니까?"

(주자가) 답했다. "허령한 것은 다만 심일 뿐이고, 성이 아니다. 성은 다만 리일 뿐이다."

우리의 마음은 실로 허령한 것입니다. 마음은 생각하는 자기 본래의 기능에 근거하여 자기 안에서 자기 스스로 생각함으로써 자기 몸의 순간 변화인 감정에 대한 개념을 형성합니다. '생각하는 마음'은 실질적으로 '생각하는 감정'으로 존재합니다. 이 감정이 다시 자기이해를 형성하는 생각을 통해서 자기 안에서 자기 스스로 자기 감정에 고유한 본성의 필연성을 영원성 그 자체로 인식합니다. 정기(情氣)로 존재하는 감정이 자신의 정리(情理)를 이해합니다. 동시에 자기 몸의 생김에 대해서 같은 방식으로 이해합니다. 마음은 성기(性氣)로 존재하는 자기 몸에 나아가 그 안에 본래부터 존재하는 성리(性理)를 이해합니다. 그래서 주자는 "허령한 것은 다만 심일 뿐이고, 성이 아니다. 성은 다만 리일 뿐이다."라고 말합니다.

이처럼 자기 몸에 나아가 性理를 인식하고 동시에 자기 감정에 나아가 情理를 인식하는 마음의 능력은 실질적으로 자기 몸의 생김과 놀이에 대한 인식을 최고의 완전성 그 자체로 이해합니다. 왜냐하면 마음은 영원의 필연성 안에서 영원의 생명과 사랑으로 자기 몸의 생김과 놀이를 이해하기 때문입니다. 이 이상으로 완전하고 타당한 인식은 없습니다. 다른 말로 하면, 신적 완전성 그 자체의 인식을 형성하는 능력이 우리 자신의 마음에 고유한 능력입니다. 이 마음을 허령(虛靈)의 마음이라 합니다. 따라서 마음에게 가장 중요한 것은 자기이해를 통해서 性情에 대한 타당한 인식을 형성하는 것입니다. 이 사실을 주자도 다음과 같이 확인하고 있습니다.

[1-0-1-87『완역 성리대전』]

知覺是心之靈.

(주자가 말했다.) "지각은 심의 허령함이다."

여기에서 지각은 당연히 性理를 인식함으로써 情理를 인식하고, 그에 근거하여 性氣의 무한함을 性理 안에서 이해하고 情氣의 무한함을 情理 안에서 이해하는 것입니다. 그 결과 모든 몸의 생김을 영원무한의 생명과 사랑 안에서 이해하며, 같은 방식으로 모든 몸의 놀이를 영원무한의 생명과 사랑 안에서 이해합니다. 이 이해를 형성할 수 있는 마음의 진실은 우리 인간에게 공통됩니다.

[1-0-1-96『완역 성리대전』]

人之所稟, 又有昏明淸濁之異. 故上知生知之資, 是氣淸明純粹, 而無一毫昏濁, 所以生知安行, 不待學而能, 如堯舜是也.

(주자가 말했다.) "사람이 받은 것에는 또한 어두움, 밝음, 맑음, 흐림의 차이가 있다. 그러므로 최상의 지혜로운 자와 나면서부터 아는 자의 자질은 기가 맑고 밝고 순수하여 털끝만 한 어두움이나 흐림이 없다. 그러므로 나면서부터 알고 편안히 행하며, 배우기를 기다리지 않아도 할 수 있으니, 요순과 같은 사람이 이런 경우이다."

여기에서 "최상의 지혜로운 자와 나면서부터 아는 자의 자질"을 지금 '나'와 무관한 것으로 여기면 지금까지 우리가 논의한 핵심 주제를 잘못 이해한 것입니다. 실질적으로 감정과학의 성리학이 무엇인지 제대로 이해하지 못한 것입니다. 이미 계속해서 논의한 바와 같이 지금 '나'의 몸이 無極而太極의 몸 안에서 영원의 필연성으로 생겨났으며, 같은 방식으로 지금 '나'의 마음이 無極而太極의 마음 안에서 영원의 필연성으로 생겨났습니다. 자연을 구성하는 모든 몸과 마음에 공통된 진실입니다. 이 진실에서 보면 사실상 "나면서부터 알고 편안히 행하며, 배우기를 기다리지 않아도 할 수 있으니, 요순과 같은 사람이 이런 경우이다."라는 것은 우리 모두에게 보편적인 진리입니다.

이 사실에 근거하여 우리 모두는 본래부터 성스러운 사람 그 자체입니다. 본래부터 성스러운 사람으로 생겨나서 성스러운 사람으로 살도록 영원의 필연성으로 결정되어 있습니다. 성스러운 사람이 지금 '나'의 몸과 마음을 떠나서 별도로 존재하지 않습니다. 지금 '나'의 진실이 성스러운 사람입니다. 이 지점에서 대부분의 사람은 자신의 성스러움을 종합으로 이해하려고 합니다. 그러나 지금 우리의 논의는 性理에 입각할 뿐만 아니라 性理로부터 필연적으로 연역되는 情理의 진실에 기초한 것입니다. 이미 性理 안에서 性氣로 존재하도록 性理에 의해서 결정되었습니다. 이미 情理 안에서 情氣로 존재하도록 情理에 의해서 결정되었습니다.

이미 성스러움 안에서 생겨나서 성스러움 안에서 놀이하도록 결정되어 있습니다. 이 말을 '종합'으로 이해해서는 안 됩니다. 우리가 이 논점을 간파하면 다음과 같은 주자의 논설은 지극히 당연한 지금 '나' 자신의 진실이며 현실입니다.

[1-0-1-97 『완역 성리대전』]

聖人之生, 其禀受渾然, 氣質淸明純粹, 全是此理, 更不待脩爲, 而與天爲
一.

(주자가 말했다.) "성인은 날 때에 그 나눠 받은 것이 완전하고, 기
질은 맑고 밝고 순수하여 이 리가 온전하므로, 다시 수양하기를 기다리
지 않아도 하늘과 하나가 된다."

"성인은 날 때에 그 나눠 받은 것이 완전하고, 기질은 맑고 밝고 순수하
여 이 리가 온전하므로"라는 것은 우리의 생김에 고유한 진실입니다.
性理의 진실입니다. "다시 수양하기를 기다리지 않아도 하늘과 하나가 된
다."라는 것은 생김의 진실로부터 놀이의 진실 또한 이미 영원의 필
연성으로 情理 안에 있다는 진실을 확인합니다. 그렇기 때문에 학문
은 절대적으로 목적론적 윤리학이 아닙니다. 모든 몸이 자기의 생김
에 관하여 性理의 영원한 필연성 안에 있으며, 그러한 한에서 모든
몸의 놀이는 영원의 필연성 안에서 性理로부터 필연적인 情理 안에
있습니다.

이 사실에서 우리 스스로 생각해 보면, 학문의 핵심은 性氣가 자
기 안에 품고 있는 性理를 인식하는 것이며 같은 방식으로 情氣가
자기 안에 품고 있는 情理를 인식하는 것입니다. 결국 감정의 자기이
해가 학문의 핵심이지, 감정을 어떤 수준이나 경지로 끌고 가는 것
이 아닙니다. 몸-놀이의 진실이 이와 같다면 놀이에 앞선 몸-생김의
진실 또한 당연히 몸에 대한 마음의 자기이해입니다. 자기이해의 진
실은 절대적으로 性氣와 情氣의 무한성을 떠나지 않으며 그 무한한
性氣와 情氣 그 각각에 고유한 性理와 情理의 필연성을 무한히 이해

하는 것입니다.

이러한 이해를 주자는 다음과 같이 설명합니다.

[1-0-1-98
聖人表裏精粗, 無不昭徹. 其形骸雖是人, 只是一團天理.
(주자가 말했다.) "성인은 겉과 속과 정밀한 것과 거친 것에 명석하지 않음이 없다. 그 용모는 비록 사람이나, 한 덩어리의 천리일 뿐이다."

다시 강조합니다. 성인(聖人)은 지금 '나'의 진실입니다. 몸으로 생겨나서 몸으로 살아가는 '나'의 진실이며, 이 진실을 참답게 이해하는 지금 내 마음의 진실입니다. 이렇게 성스러운 '나'는 "겉과 속과 정밀한 것과 거친 것에 명석하지 않음이 없다."는 인식의 완전성으로 존재합니다. 性理 그 자체의 본성을 인식함으로써 性理로부터 무한히 생겨나는 性氣의 무한성 그 각각에 고유한 性理를 이해합니다. 자연의 모든 몸에 나아가 현상이 아닌 그 각각에 고유한 본성을 영원의 필연성으로 인식합니다. 같은 방식으로 情理 그 자체의 본성을 인식함으로서 情理로부터 무한히 생겨나는 情氣의 무한성 그 각각에 고유한 情理를 이해합니다. 자연의 모든 감정에 나아가 현상이 아닌 그 각각에 고유한 본성을 영원의 필연성으로 인식합니다.

그러므로 '나' 자신이 몸의 생김과 놀이에 고유한 본성을 인식함으로써 매순간 새로운 '몸의 생김'과 '몸의 놀이'를 본성의 필연성으로 인식할 때, 바로 이 순간이 성스러운 사람이 자신의 성스러움을 다시 확인하는 성스러운 축복의 순간입니다. 본래 성스러운 사람이 이 축복을 누리는 방법은 오직 性理 안에서 性氣의 무한성을 배우는 것이며 같은 방식으로 情理 안에서 情氣의 무한성을 배우는 것입니다. "그 용모는 비록 사람이나, 한 덩어리의 천리일 뿐이다."라고 했습니다. '나'는 性氣와 情氣라는 지극히 작은 몸으로 지극히 작은 감정을 느끼지만, '나'는 性理와 情理 안에서 性氣와 情理를 영원무한의 생명과 사랑으로 이해합니다. 이 순간이 자신과 無極而太極이 본래 하나라는 사실을 확인하는 거룩한 순간입니다.

2부 太極圖說의 先驗分析
태극도설 선험분석

1장. '無極而太極'에 관하여

無極而太極

1. 物自體

   '무극이태극'(無極而太極)에서 '무극'과 '태극'은 서로 다른 두 개
의 실체가 아닙니다. 태극은 영원무한의 생명과 사랑으로 존재하는
단 하나의 실체입니다. 그런데 이것은 눈으로 보거나 손으로 만질
수 있는 것이 아닙니다. 감각적인 '현상'으로 존재하지 않습니다. 그
러나 그렇다고 해서 태극은 모든 현상을 초월하여 존재하지도 않습
니다. 우리가 감각으로 확인할 수 있는 모든 사물이 단 하나의 예외
없이 태극을 본성으로 가지며, 태극 안에서 생겨나고 활동합니다. 태
극의 존재가 별도로 없습니다. 감각으로 지각할 수 있는 모든 것들
하나하나가 무한한 방식으로 무한하게 태극의 존재를 증명합니다. 이
사실을 위해 '태극' 앞에 '무극'을 둡니다.
   영원무한의 생명과 사랑으로 존재하는 단 하나의 실체가 존재하
며, 이것으로부터 모든 것이 실체에 고유한 영원의 필연성 안에서
생겨나고 활동합니다. 단 하나의 실체가 진실로 존재합니다. 영원무
한의 생명과 사랑으로 존재하는 몸과 마음을 품고 있는 단 하나의
실체가 진실로 존재합니다. 이 사실은 지금 우리 자신의 마음이 지

금 우리 자신의 몸에 나아가 자기 몸의 생김에 대해서 자기 스스로 생각해 보면, 자기 안에서 명명백백하게 이해하는 자기 진실입니다. 이 주제는 이미 본서의 「1부」에서 자세히 논의하였으므로 더 이상 다루지 않습니다. 우리 몸에 대한 우리의 마음이 스스로 생각해 보면 그 즉시 명백하게 이해합니다.

자연 안에 존재하는 모든 것이 영원의 필연성 안에서 자기원인으로 존재하는 영원무한의 생명과 사랑 그 자체인 단 하나의 실체(太極)에 의해서 존재하도록 결정되어 있기 때문에, 그러한 한에서 자연 안에 존재하는 모든 것은 단 하나의 실체로서 태극의 존재를 증명하는 성스러운 것입니다. 이러한 맥락에서 태극의 존재가 자연을 떠나서 별도로 존재하지 않습니다. 자연 전체가 단 하나의 실체로서 태극이며, 자연을 구성하는 모든 것 하나하나가 그리고 그와 동시에 그 속에 존재하는 것으로서 인간 세상을 구성하는 모든 인간 각각이 단 하나의 실체로서 태극의 존재를 증명하는 태극 그 자체입니다. 이 사실을 주자는 다음과 같이 확인합니다.

[1-1-1 『완역 성리대전』]
上天之載, 無聲無臭, 而實造化之樞紐, 品彙之根柢也. 故曰'無極而太極.' 非太極之外復有無極也.

'하늘의 일은 소리도 냄새도 없으나' 사실은 조화의 중추(지도리)이고, 온갖 물건의 뿌리이다. 그러므로 '무극이면서 태극'이라고 하였으니, 태극 이외에 무극이 더 있는 것은 아니다.

"태극 이외에 무극이 더 있는 것은 아니다."라고 했습니다. 무극과 태극은 서로 다른 두 개의 실체가 절대 아닙니다. 진실로 존재하는 것은 단 하나의 실체로서 태극입니다. 그런데 이에 대한 주자의 설명은 "온갖 물건의 뿌리이다."입니다. 이때 우리 자신의 몸을 떠나서 이 주제를 생각하면 절대 안 됩니다. 지금 우리 자신의 몸도 온갖 물건 가운데 하나입니다. 그렇기 때문에 엄밀히 말해서 태극은 지금 '내 몸'의 뿌리로 존재합니다. 동시에 자연 안에 존재하는 모든 몸의 뿌리, 즉 몸-생김 그 자체의 본성으로 존재합니다. 따라서 몸-생김의 본성으로서 태극은 선험분석(先驗分析)으로 존재한다는 사실이 필연적으로 연역됩니다.

태극은 '선험분석'으로 존재합니다. '선험'은 '몸-생김'이기 때문에 모든 몸의 생김을 설명하는 것입니다. 한편 '분석'은 인식의 대상을 감각에 의존하는 것이 아니라 그 자체에 고유한 본성으로 이해하는 것입니다. 그렇기 때문에 '선험분석'은 몸-생김에 대한 이해를 감각적 현상으로 이해하는 것이 아니라 몸에 나아가 그것이 본래부터 자기 안에 품고 있는 자기 생김에 고유한 본성을 영원의 필연성으로 이해하는 것입니다. 이 논점을 태극에 적용할 수 있습니다. 태극은 앞에서 논의한 바와 같이 몸-생김 그 자체에 고유한 본성이며, 실상은 영원무한의 생명과 사랑으로 존재하는 단 하나의 실체입니다. 선험입니다.

다음으로 몸-생김의 선험으로 존재하는 태극은 자기 존재에 관하여 자기가 원인이며 동시에 결과인 '자기원인'입니다. 자기 아닌 다른 것에 의존하여 존재하는 것이 아닙니다. 만약 이 사실을 부정하면 우리는 인과의 필연성을 부정하기 때문에 이는 그 자체로 터무니없는 모순입니다. 결과에 대한 원인을 추궁하면 궁극적으로 원인이 존재한다는 사실을 영원의 필연성으로 확인하게 되며, 그러한 한에서 영원의 필연성으로 존재하는 원인은 '자기원인'입니다. 이것을 인식하는 방법은 종합이 아니라 분석입니다. 영원의 필연성으로 존재하는 것은 공간과 시간의 한계 안에서 감각적으로 지각되는 인식의 대상이 아니기 때문에 그러합니다.

지금 '나'의 몸이 존재한다는 사실로부터 내 몸의 생김을 결정한 원인으로서 몸이 당연히 존재합니다. 이 논리를 영원무한으로 확장해 나아가면 궁극에 이르러 영원무한의 필연성으로 존재하는 '자기원인의 몸'이 명백합니다. 마음도 같은 논리적 필연성을 따릅니다. 결국 '나'의 몸에 대한 '나'의 마음이 자기 안에서 자기 스스로 생각함으로써 영원무한의 필연성 안에서 자기원인으로 존재하는 단 하나의 실체를 명백하게 이해합니다. 이 실체를 주돈이와 주자는 '태극'으로 이해합니다. 이 이해는 당연히 종합이 아닌 분석에 기초하기 때문에 이 사실을 강조하기 위해서 '태극' 앞에 '무극'을 둡니다. 따라서 다음과 같은 명제가 성립됩니다.

無極而態極
무 극 이 태 극

: 몸-생김의 '선험'으로 존재하는 '단 하나의 실체'(太極)에 대한 '분석적 이해'(無極)

위의 명제는 다음에 제시되는 주자의 설명에 의해서 성리학의 진실로 확인됩니다.

[1-1-1-2 『완역 성리대전』]

原極之所以得名, 蓋取樞極之義. 聖人謂之太極者, 所以指夫天地萬物之根也. 周子因之, 而又謂之無極者, 所以著夫無聲無臭之妙也.

(주자가 말했다.) "원래 극이란 말은 아마 북극성의 의미를 취했을 것이다. 성인이 이를 태극이라고 한 것은 천지 만물의 뿌리임을 가리키려는 것이다. 주자가 여기에 또 무극이라고 한 것은 소리도 없고 냄새도 없는 미묘함을 나타내려는 것이다."

주자는 다시 강조합니다. 태극은 "천지 만물의 뿌리"입니다. 몸-생김을 설명하는 단 하나의 실체가 태극입니다. 그러나 이 존재에 대한 인식은 감각에 의존하지 않습니다. 감각으로 확인하는 지금 '나'의 몸에 나아가 그에 고유한 생김의 필연성을 '나' 자신의 생각이 자기 안에서 자명하게 형성하는 것입니다. 영원무한의 생명과 사랑으로 존재하는 몸(마음)이 영원의 필연성으로 존재하며, 이 존재가 영원의 필연성 안에서 지금 '나'의 몸(마음)을 존재하도록 결정하였습니다. 이 진실은 눈에 보이는 몸의 현상에 근거하지 않습니다. 마음이 눈에 보이는 몸에 나아가 몸의 본성의 필연성으로 이해한 것입니다. "주자가 여기에 또 무극이라고 한 것은 소리도 없고 냄새도 없는 미묘함을 나타내려는 것이다."라고 말한 근본 이유입니다.

이상의 정리를 토대로 이제는 마지막 논점으로 들어가겠습니다. 태극을 선험분석으로 이해하는 무극이태극(無極而太極)은 절대적으로 지금 우리 자신의 인식 밖에 있는 불가지(不可知)가 아니며 신비스러운 것은 더더욱 아닙니다. 우리 자신의 몸에 나아가 우리 스스로 생각해 보면 그것의 존재를 명백하게 이해합니다. 더 나아가 그 존재에 고유한 본성으로서 영원무한의 생명과 사랑으로 존재하는 몸과 마음이 영원의 필연성으로 존재하고 있다는 사실을 최고의 완전성 그 자체로 이해합니다. 우리가 이 사실을 명확히 하면, 다음에 제시되는 인용을 쉽게 분석할 수 있습니다.

[1-1-1-3 『완역 성리대전』]

問: 明道言'人生而靜以上不容說', 則周子之所謂無極也不可容言也. 若太極, 則性之謂也, 太極固純是善. 自無極而言, 則只可謂之繼, 明道之言, 所以發明周子之意也.

물었다. "명도가 '사람이 나서 가만히 있던 때보다도 더 이전은 말로 설명할 수 없다.'고 하였으니, 주자가 말한 무극도 말로 설명할 수 없다. 태극이라면 성을 말하는 것이고, (그) 태극은 진실로 순전히 선하다. (이를) 무극에서부터 말하면 단지 '이었다'고 할 수 있으니, 명도의 말은 주자 의 뜻을 밝힌 것이다."

曰: 周子所謂無極而太極, 非謂太極之上別有無極也. 但言太極非有物耳. 如云'上天之載, 無聲無臭.' 故下文云'無極之真, 二五之精', 既言無極, 則不復別擧太極也. 若如今說, 則此處豈不欠一太極字耶?

(주자가) 답했다. "주자가 말한 '무극이면서 태극이다.'는 태극 위에 별도로 무극이 있다는 것이 아니라, 단지 태극에 물건이 있지 않다는 것일 뿐이다. '하늘의 일은 소리도 없고 냄새도 없다.'는 말과 같다. 그러므로 아래에서 '무극의 진리와 음양오행의 정기'라고 할 때, 이미 무극을 말하였으므로 다시 태극을 별도로 거론하지 않았다. 만일 지금처럼 말한다면 어찌 여기에 태극이라는 말이 부족하지 않겠는가?"

[※ 저자의 주석: 답하는 주자는 주자(朱子)이며, 無極而太極을 말한 주자는 주자(周子)입니다.]

명도는 "주자가 말한 무극도 말로 설명할 수 없다."고 합니다. 명도의 이와 같은 주장은 불가지 또는 신비주의와 맥을 같이 합니다. 그러나 주자는 이와 완전히 다릅니다. "태극 위에 별도로 무극이 있다는 것이 아니라, 단지 태극에 물건이 있지 않다는 것일 뿐이다."라고 말합니다. 자연을 구성하는 모든 몸은 단 하나의 실체 안에서 생겨나며 활동합니다. 사실상 자연의 모든 몸이 영원무한의 몸으로 존재하는 실체를 무한한 방식으로 무한하게 증명합니다. 그러한 한에서 어느 한 몸의 형상이 태극으로 존재한다고 말해서는 안 됩니다. "단지 태극에 물건이 있지 않다는 것일 뿐이다."라고 말한 까닭입니다. '무극이태극'은 감각으로 확인하는 모든 몸이 태극을 설명하는 성스러운 몸이라는 사실을 설명하는 진리입니다.

그러므로 우리는 감정과학의 논리에 근거하여 무극이태극의 진실을 다음과 같이 요약할 수 있습니다.

無極而太極은 자연의 모든 몸이 자기 생김에 관하여 자기 안에 본래부터 품고 있는 본성의 필연성으로서 물자체(物自體)이며, 이에 대한 명석판명의 이해가 우리 인간의 마음 안에 고유한 능력으로 본래부터 존재한다는 사실을 확인한다.

2. 物自體로서 理
물 자 체   리

자연을 구성하는 모든 몸의 생김에 고유한 본성의 필연성으로서 무극이태극(無極而太極)을 주자는 단 하나의 개념어인 '리'(理)로 요약합니다.

[1-1-1-1『완역 성리대전』]
問:『太極解』引'上天之載, 無聲無臭' 此'上天之載'只是太極否?
朱子曰: 蒼蒼者是'上天', 理在載字上.
물었다. "『태극해』에서 '하늘의 일은 소리도 냄새도 없다.'를 인용하였는데, 이 '하늘의 일'은 다만 태극일 뿐입니까?"
주자가 답했다. "푸른 것은 하늘이고, 리는 '일'에 있다."

주자에 의하면, '하늘'은 눈에 보이는 공간의 개념이 아닙니다. 하늘은 감각으로 확인하는 공간으로서 푸른 하늘이 아니라 단 하나의 실체로서 태극을 은유적으로 표현한 것입니다. 이점을 이해할 수 있도록 주자는 개념어 '理'를 제시합니다. 이 개념어를 가지고 無極而太極을 은유적으로 표현하는 '하늘'을 다시 설명합니다.
이 설명을 두고 제자들이 다음과 같은 질문을 합니다.

[1-1-1-4『완역 성리대전』]
問: '無極而太極', 何如?
曰: 仔細看便見得
問: 先生之意莫正是以無極太極爲理.
曰: 此非某之說, 他道理自如此. 著自家私意不得, 太極無形象, 只是理, 他自有這箇道理, 自家私著一字不得.
물었다. "'무극이면서 태극이다.'는 어떻습니까?"
(주자가) 답했다. "자세히 보면 곧 알 수 있다."

물었다. "선생님의 뜻은 바로 무극과 태극을 리로 여기는 것이 아닙니까?"

(주자가) 답했다. "이것은 나의 주장이 아니라, 그 도리가 본래 그러하니 자신의 사사로운 생각을 붙여서는 안 된다. 태극에는 형상이 없고 단지 리일 뿐이니, 거기에는 본래 이런 도리가 있으므로 자기가 한 마디 말이라도 사사로이 붙여서는 안 된다."

"태극에는 형상이 없고 단지 리일 뿐이니, 거기에는 본래 이런 도리가 있으므로 자기가 한 마디 말이라도 사사로이 붙여서는 안 된다."라고 주자는 말합니다. 그리고 "이것은 나의 주장이 아니라, 그 도리가 본래 그러하니 자신의 사사로운 생각을 붙여서는 안 된다."라고 했습니다. 우리가 無極而太極(무극이태극)을 物自體(물자체)로 이해하고, 다시 이것을 理(리)로 이해할 때, 여기에는 매우 엄정한 것이 있습니다. 인식에 관한 한 절대적으로 그 어떤 타협이 없습니다. 즉, 이것은 선험분석이기 때문에 절대적으로 종합에 의존해서는 안 됩니다. 우리의 감각이나 경험 또는 그것에 의존하여 나오는 여러 의견이나 추측 등과 같은 것으로 理를 이해해서는 절대 안 됩니다.

주자는 계속해서 강조합니다. 理에 관하여 자신의 생각을 사사로이 붙여서는 안 된다고 합니다. "그 도리가 본래 그러하니"라고 말했습니다. 이것은 物自體의 진실을 명백하게 이해하지 않고는 할 수 없는 말입니다. 몸이 자기 생김에 관하여 자기 안에 본래부터 품고 있는 것이 있기 때문에 그것에 대한 인식이 無極而太極입니다. 그러한 한에서 그에 대한 인식은 몸 그 자체의 본성으로 하는 것이지 절대적으로 몸에 대한 경험이나 감각에 수동적으로 의존한 결과 파생되는 의견이나 추측으로 형성하는 것이 아니라는 뜻입니다. 이러한 인식의 핵심을 주자는 다음과 같이 확인합니다.

[1-1-1-6 『완역 성리대전』]

問: 既曰易有太極, 則不可謂之無. 濂溪乃有無極之說, 何也?

曰: 有太極是有此理. 無極是無形器方體可求. 兩儀有象, 太極則無象.

물었다. "이미 '역에 태극이 있다.'고 하였으니, 없다고는 할 수 없는데, 염계가 이에 무극을 말한 것은 무엇 때문입니까?"

(주자가) 답했다. "'태극이 있다.'는 '이 리가 있다.'이다. 무극은 찾을 만한 모양이나 위치, 형체가 없다. 양의에는 상이 있고, 태극에는 상이 없다."

"무극은 찾을 만한 모양이나 위치, 형체가 없다. 양의에는 상이 있고, 태극에는 상이 없다."라고 분명히 말했습니다. '無極而太極', '物自體', 그리고 '理', 이 셋은 영원무한의 생명과 사랑으로 존재하는 단 하나의 실체를 설명하는 개념어입니다. 이것을 감정과학은 '나'의 몸이 자기 생김에 관하여 영원의 필연성으로 품고 있는 엄마아빠의 생명과 사랑으로 이해합니다. 그런데 문제는 우리는 이 개념어를 너무나 쉽게 경험이나 감각 그리고 그에 의존함으로써 나오는 의견이나 추측으로 형성한다는 것입니다. 이 개념은 '선험분석'입니다. 그러한 한에서 절대적으로 방금 전에 제시한 방법으로 이해되어서는 절대 안 됩니다. '無極而太極'이 '상'(象) 없이 존재하는 이유입니다.

그러나 앞에서 이미 언급한 바와 같이 無極而太極은 절대적으로 자연을 초월하여 존재하는 것이 아닙니다. 몸-생김에 고유한 본성의 영원한 필연성으로 존재하는 것이 단 하나의 실체로서 자기원인 또는 無極而太極입니다. 그렇기 때문에 이 존재는 모든 몸에 고유한 단 하나의 실체이면서 동시에 자신의 존재를 자연 안에서 무한한 방식으로 무한하게 실현합니다. 마치 삼각형의 본성으로부터 무한한 방식으로 무한한 삼각형이 생겨나는 것과 같습니다. 그러나 무한한 삼각형 각각은 자기 존재에 고유한 본성의 필연성을 생김의 본성으로 갖습니다. 마치 삼각형의 본성 안에 직각 삼각형의 본성과 이등변 삼각형의 본성 등 무한한 생김 각각에 고유한 본성이 영원의 필연성으로 존재합니다.

이러한 방식으로 우리는 無極而太極을 이해해야 합니다. 왜냐하면 이 존재는 몸의 생김을 설명하는 선험분석이기 때문입니다. 절대적으로 몸을 초월한 것이 아닙니다. 영원무한의 생명과 사랑으로 존재하는 無極而太極은 자기 안에 영원무한의 생명과 사랑으로 존재하는 몸과 마음을 속성으로 갖습니다. 이 사실로부터 無極而太極은 자신의 몸에 고유한 속성인 영원무한에 근거하여 무한한 방식으로 무한한 몸을 낳습니다. 그리고 그 각각의 몸은 영원의 필연성 안에서 자기 몸에 고유한 본성을 영원의 필연성으로 갖습니다. 하늘을 나는 새는 영원무한의 생명과 사랑의 몸 안에서 자기 몸에 고유한 본성을 가지고 있으며, 물에 사는 물고기도 그러합니다.

우리 인간의 몸도 자연의 몸과 같은 방식으로 존재합니다. 이제 우리 몸에 집중해 봅시다. 우리 몸은 영원무한의 생명과 사랑으로 존재하는 단 하나의 실체의 몸이 영원의 필연성으로 낳아준 것입니다. 영원의 필연성 안에서 생명과 사랑으로 존재하도록 결정된 우리의 몸입니다. 그러나 자연이 모든 몸과 달리 우리 인간의 몸은 그에 고유한 생김의 필연성을 갖습니다. 엄마의 배 속에서 10개월 동안

성장하며 두 개의 손과 두 개의 발을 갖습니다. 인간의 뇌에 고유한 본성이 있으며, 인간의 몸을 구성하는 심장이나 위 그리고 폐 등 각각의 기관도 자연의 다른 몸과 달리 인간의 몸에 고유한 본성의 필연성을 갖습니다.

이처럼 영원무한의 필연성 안에서 생명과 사랑으로 존재하는 단 하나의 실체인 無極而太極은 자연을 구성하는 모든 몸을 영원의 필연성 안에서 생겨나도록 결정하며 동시에 그 각각의 몸 및 그 몸을 구성하는 각각의 장기에 고유한 본성을 영원의 필연성 안에서 생명과 사랑으로 생겨나게 합니다. 그렇기 때문에 엄밀히 말해서 無極而太極은 몸을 떠난 것이 아니며 오히려 몸 그 자체의 본성을 영원의 필연성으로 설명합니다. 더 나아가 자연을 구성하는 모든 몸의 진실을 영원의 필연성으로 확인합니다. 이러한 결론은 다음의 인용에 근거하여 명백합니다.

[1-1-1-8 『완역 성리대전』]

無極而太極, 不是說有箇物事光輝地在那裏, 只是說這裏當中皆無一物, 只有此理而已, 既有此理, 便有此氣, 既有此氣, 便分陰陽, 以此生許多物事. 惟其理有許多, 故物亦有許多.

(주자가 말했다.) "'무극이면서 태극이다.'는 어떤 물건이 번쩍거리며 거기 있다고 말하는 것이 아니라, 단지 여기에 애당초 하나의 물건도 없고 단지 이 리가 있을 뿐이라고 말하는 것이다. 이미 리가 있으면 곧 이 기가 있다. 이미 이 기가 있으면 바로 음양으로 나뉘고, 이로써 많은 물건을 생한다. 오직 그 리가 많으므로 물건도 많다."

"오직 그 리가 많으므로 물건도 많다."라고 말합니다. 理는 단 하나의 실체가 확실합니다. 그러나 그것을 구성하는 몸과 마음은 영원무한의 생명과 사랑입니다. 그렇기 때문에 단 하나로 존재하는 理는 자기 몸에 고유한 본성인 영원무한에 근거하여 자신이 산출할 수 있는 몸을 무한한 방식으로 무한하게 자연 안에서 실현합니다. 이 사실을 부정하면 실체의 영원무한은 그 즉시 사라집니다. 따라서 理는 영원의 필연성 안에서 무한한 몸을 낳으며, 그러한 한에서 그 모든 무한한 몸은 자기 존재에 관하여 절대적으로 영원의 필연성을 생김 그 자체의 본성으로 갖습니다.

그러므로 우리가 감정과학에 근거하여 無極而太極을 선험분석의 物自體 또는 理로 이해할 수 있다면, 이제부터 중요한 것은 理를 향한 명백한 인식입니다. 자연의 모든 몸을 감각적 현상 또는 상(象)으로 이해하는 것은 無極而太極의 명제를 부정하거나 어기는 것입니다. 모든 몸은 우리에게 얼마든지 감각적 현상으로 지각되며, 그로부터 우리는 자연의 몸을 선악(善惡)으로 구분합니다. 그 결과는 무엇일까요? 惡으로 규정된 몸을 없애려는 전쟁입니다. 그러나 이 모든 비극은 몸에 대한 인식의 결함에서 비롯됩니다. 즉, 無極而太極으로 자연의 몸을 이해하지 않았기 때문에 발생합니다. 따라서 학문의 핵심은 理를 향한 분명한 인식으로 우리를 인도하는 것입니다.

3. 物自體로서 理의 인식

무극이태극(無極而太極)은 존재의 진실이기 때문에 존재에 대한 참다운 인식 또한 無極而太極입니다. 이로부터 無極而太極은 엄격히 말해서 '존재론'이면서 동시에 '인식론'입니다. 주자도 다음과 같이 이 점을 확인합니다.

[1-1-1-9 『완역 성리대전』]
'上天之載無聲無臭', 是就有中說無. '無極而太極', 是就無中說有. 若實見得, 說有說無, 或先或後, 都無妨礙.
(주자가 말했다.) "'하늘의 일은 소리도 없고 냄새도 없다.'는 '있음'에서 '없음'을 말한 것이다. '무극이면서 태극이다.'는 '없음'에서 '있음'을 말한 것이다. 만일 실지로 이해한다면 있다고 하든 없다고 하든, 혹은 먼저 하든 나중에 하든 모두 방애될 것이 없다."

"실지로 이해한다면"이라고 말했습니다. 정말 중요한 것은 無極而太極이 무엇인지 이해하는 것입니다. 이 이해를 감정과학은 '선험분석'으로 정의합니다. 몸이 자기 안에 품고 있는 생김의 진실, 즉 物自體가 無極而太極입니다. 마음은 몸에 나아가 이 진실을 명명백백하게 인식해야 합니다. 이 사실을 분명히 알자는 것이 주자가 주돈이의 『태극도』(太極圖)를 사랑하는 근본 이유입니다. 남헌 장씨도 이 사실을 확인합니다.

[1-1-1-10 『완역 성리대전』]
軒張氏曰: 必曰無極而太極者, 所以明動靜之本, 著天地之根, 兼有無, 貫顯微, 該體用者也. 必有見乎此, 而後知太極之妙, 不可以方所求也, 其義深矣.
남헌 장씨가 말했다. "반드시 '무극이면서 태극이다.'라고 말하는 것은 동정의 근본을 밝히고 천지의 뿌리를 드러내서 있음과 없음을 겸하고, 드러남과 은미함을 관통하고, 체용을 갖추게 한 것이다. 반드시 이 것을 안 뒤에야 태극의 미묘함은 위치(방향)를 통해서는 구할 수 없다는 것을 알게 되니, 그 뜻이 깊다."

"태극의 미묘함은 위치(방향)를 통해서는 구할 수 없다는 것을 알게 되니, 그 뜻이 깊다."라고 말합니다. 위치나 방향은 종합의 조건으로서 공간과 시간을 뜻합니다. 이것으로는 절대적으로 無極而太極을 알 수 없습니다. 왜냐하면 감정과학의 장르분석에 근거하여 이미 밝힌 바, 無極而太極은 '선험분석'이기 때문입니다. 분석은 절대적으로 종합에 의존하지 않습니다. 다른 말로 하면, 종합에 의존하여 생각하는 한에서 절대적으로 분석을 이해할 수 없습니다. 자연 안에서 생겨나는 모든 몸이 자기 안에 품고 있는 본성의 필연성을 인식하면 그것이 곧 無極而太極에 대한 참다운 인식입니다.

그러므로 엄밀히 말해서 無極而太極을 이해하는 방법의 기초는 자기 스스로 자기 몸에 나아가 자기 몸이 품고 있는 생김의 필연성을 자기 스스로 이해하는 것입니다. 인간의 마음은 이 이해를 형성하는 능력을 본래부터 가지고 있습니다. 마음은 無極而太極을 명백하게 이해합니다. 이 이해가 분명한 사람은 자연의 모든 몸을 감각적 현상으로 이해하는 것이 아니라 그 각각에 고유한 생김의 본성을 영원의 필연성으로 배워서 이해합니다. 그 결과는 무엇일까요? 자연 안에 존재하는 모든 몸이 영원의 필연성 안에서 순수지선으로 존재한다는 사실을 이해합니다. 전쟁 없는 다 좋은 세상을 누리며, 이것으로 인간의 학문과 문명은 무한히 발전하며 번영힙니다.

2장. '太極動靜'에 관하여

太極動而生陽, 動極而靜, 靜而生陰, 静極復動, 一動一静, 互為其根, 分陰分陽, 兩儀立焉.

1. 太極의 몸과 마음

영원무한의 생명과 사랑으로 존재하는 단 하나의 실체인 태극(太極)은 서로 다른 두 개의 속성을 갖습니다. '몸'과 '마음'이 바로 그것입니다. 태극 자체가 영원무한의 생명과 사랑이며, 오직 이 사실로부터 태극의 몸과 마음도 영원무한의 생명과 사랑입니다. 한편 단 하나의 실체로서 태극은 자기 존재에 관하여 자기가 원인이며 결과인 '자기원인'입니다. 그렇기 때문에 태극을 구성하는 속성인 몸과 마음도 당연히 자기원인으로 존재합니다. 태극의 몸은 절대적으로 자기 존재에 관하여 자기가 원인이며 그와 동시에 결과이므로, 태극의 몸을 존재하도록 결정하는 것은 태극 자신의 몸 이외 절대적으로 없습니다. 마음도 마찬가지입니다.

그러나 이 지점에서 절대로 우리는 혼동하면 안 됩니다. 태극의 몸과 마음은 단 하나의 실체로 존재하는 태극을 구성하는 서로 다른 두 개의 '속성'이지, 절대적으로 두 개의 '실체'가 아닙니다. 이 주제는 우리 자신을 두고 우리 스스로 생각해 보면 쉽게 이해할 수 있습니다. '나'는 '단 하나'로 존재지만, '나'에게는 몸과 마음이 있습니다. 이때, 나의 몸이 존재한다는 사실은 쉽게 이해할 수 있지만, 나의 마음이 존재한다는 사실은 쉽게 이해하기 어렵습니다. 그러나 빛이 자신의 빛으로 자신의 존재를 증명하는 것과 같이 지금 내가 생각하고 있다는 사실로부터 나에게 마음이 존재한다는 사실은 자명하게 증명됩니다. 내가 생각한다는 사실이 곧 내 마음의 존재를 증명합니다.

우리가 몸과 마음의 문제를 우리 자신의 몸과 마음에 기초하여 이해하면, 태극의 몸과 마음에 대해서 쉽게 이해할 수 있습니다. 나에게 몸이 존재하기 위해서는 그에 앞서 존재하는 원인으로서 몸이 영원의 필연성으로 존재해야 합니다. 그 원인으로서 몸이 존재하기 위해서는 당연히 그에 앞서 존재하는 원인으로서 몸이 영원의 필연성으로 존재해야 합니다. 이런 방식으로 우리의 몸에 나아가 원인과 결과의 필연성을 생각해 보면, '결과의 몸'을 정립한 '원인으로서 몸'의 존재는 영원의 필연성입니다. '원인으로 존재하는 몸'이 영원의 필연성으로 존재한다는 사실이 태극의 몸입니다. 마음에 대해서도 동일한 논리로 이해할 수 있습니다.

이 논리에 근거하여 우리는 자기원인으로 존재하는 태극의 몸과 마음이 자기 스스로를 변화하여 무한한 방식으로 무한한 몸과 마음을 산출한다는 것을 알 수 있습니다. 자기원인으로 존재하는 단 하나의 실체로서 태극은 자기 안에서 갇혀 있는 것이 아니라 자기의 몸과 마음을 가지고 무한한 몸을 낳으며 그와 동일하게 무한한 마음을 낳습니다. 그리고 이 둘 사이에는 절대적으로 공간과 시간의 변화가 개입하지 않습니다. 이점이 매우 중요합니다. 자기원인으로 존재하는 태극은 영원무한의 몸과 마음을 자신의 속성으로 갖습니다. 이때 태극이 시간과 공간의 한계 안에서 시간과 공간의 선후를 따라서 자신의 속성을 변화시킴으로써 무한한 몸과 마음을 산출한다면, 태극은 뜻밖에 공간과 시간에 의존하는 수동적인 존재로 전락합니다.

다음으로 보다 더 중요하고 근본적인 문제가 있습니다. 태극이 자신의 몸과 마음으로 무한한 몸과 마음을 산출할 때, 시간과 공간의 변화를 통해서 무한한 방식으로 무한한 몸과 마음을 생겨나게 한다면, 이는 태극이 자기의 몸과 마음에 가지고 있지 않았던 새로운 몸과 마음이 시간과 공간의 변화로 인해 생겨나게 되었다는 결론에 도달하게 합니다. 이 지점에서 다음과 같은 질문을 예상할 수 있습니다. 자연 안에서 새로운 종(種)이 생겨나거나 전에 없었던 사물(잠수함이나 비행기 같은)이 생겨나는 것은 공간과 시간의 변화로 이해할 수 있다는 것입니다. 이것들은 과거에 존재하지 않았던 것이므로 이 질문은 지극히 정당합니다.

그러나 전에 없었던 새로운 종(種)을 우리가 경험하게 되었을 때, 우리는 그 즉시 그것을 이해하기를 욕망합니다. 그리고 이때의 욕망은 그것의 겉모습뿐만 아니라 근본적으로 그 種에 고유한 본성의 필연성을 이해하는 것입니다. 정확히 말하자면, 새롭게 출현한 種도 자신만의 몸으로 존재하며 그러한 한에서 우리는 그 몸에 고유한 본성의 필연성을 이해하기를 욕망합니다. 그 결과 우리는 마침내 그 몸의 본성을 영원의 필연성으로 인식합니다. 바로 이 지점에서 우리는 태극의 몸과 마음을 이해할 수 있습니다. 어떤 새로운 몸이 생겨났다고 할 때, 그것이 몸으로 존재하는 한에서 그 몸은 자기 생김과 놀이에 관하여 본성의 필연성을 가지고 있습니다.

자연 안에서 어떤 새로운 種이 생겨나거나 인류의 문명 안에서 전에 없었던 새로운 사물이 생겨날 수 있습니다. 공간과 시간의 선후를 따릅니다. 그러나 우리에게 정작 중요한 것은 공간과 시간의 선후가 아닙니다. 새로운 몸이나 사물이 생겨났을 때, 우리가 알고 싶은 것은 그것에 고유한 본성의 필연성을 이해하는 것입니다. 이 이해가 그것의 몸과 마음에 대한 참다운 이해입니다. 본성의 필연성을 몸으로 이해하거나 마음으로 이해하거나, 이 둘은 서로 다른 것이 아닙니다. 또한 이 이해는 확률이나 우연성을 향하는 것이 아니라 영원의 필연성을 향합니다. 이 사실로부터 새로운 몸이나 사건은 영원의 필연성 안에 존재하는 것이 분명합니다.

우리의 논의가 여기에 이르면 태극(太極) 앞에 무극(無極)을 두고, 太極을 無極而太極으로 정리한 주돈이의 의도를 쉽게 파악할 수 있습니다. 太極은 영원의 필연성 안에서 영원무한의 생명과 사랑 그 자체로 존재하는 단 하나의 실체이지만, 그것은 자신의 몸과 마음으로 자연의 모든 생명 각각에 고유한 몸과 마음을 낳습니다. 동시에 자연 속 인간이 자신의 몸과 마음으로 산출하는 문명의 모든 것에 관하여 궁극적인 원인으로 존재합니다. 우리가 그 모든 것을 공간과 시간의 한계 안에서 감각적으로 지각되는 현상으로 바라보며 이해하면, 태극을 이해할 수 없습니다. 그러나 그 모든 것에 나아가 그 각각에 고유한 본성의 필연성을 이해하면, 태극을 이해할 수 있습니다.

자연 안에 있는 모든 것을 비롯해서 인류의 문명이 만들어낸 모든 것은 無極而太極 안에 있습니다. 자연 안에 존재하는 것은 과거 현재 미래에 전혀 상관없이 無極而太極 안에 존재합니다. 과거에 존재했다가 사라진 몸도 그 몸에 고유한 본성은 영원의 필연성입니다. 과거에 존재하지 않았지만 지금 막 새롭게 존재하게 된 것이 있다면, 그 몸 역시 영원의 필연성을 자기 생김의 본성으로 갖습니다. 지금 현재 존재하지 않지만 미래에 존재하게 될 어떤 몸이 있다면, 그 몸 또한 자기 생김에 관하여 영원의 필연성을 본성으로 갖습니다. 따라서 몸으로 존재하는 모든 것은 자기 생김에 관하여 영원의 필연성을 본성으로 갖습니다.

이 분명한 사실에 기초하여 태극이 자연 및 문명의 모든 몸(마음)을 떠나서 별도로 존재하지 않는다는 사실이 분명합니다. 그리고 그 몸(마음)은 영원의 필연성으로 존재합니다. 오직 이 진리로부터 자연 및 문명의 모든 몸은 하나도 빠짐없이 그 자체가 순수지선의 태극입니다. 공간과 시간의 한계 및 변화에 의존해서는 절대적으로 이 진리를 이해할 수 없습니다. 감각적 현상으로는 그 어떤 몸도 태극으로 존재하지 않지만, 그 자체의 본성에서 보면 그 어떤 몸도 태극으로 존재하지 않은 적이 없습니다. 우리가 영원의 필연성 안에서 경험하는 모든 몸을 그 각각에 고유한 본성의 필연성으로 이해할 때, 그때 비로소 우리는 모든 몸이 무한한 방식으로 무한하게 단 하나의 실체인 태극의 존재를 증명하는 태극 그 자체라는 사실을 진리의 필연성으로 이해합니다.

핵심을 요약하면 다음과 같습니다.

① 無極而太極은 자신의 몸과 마음으로 자연과 문명의 모든 몸과 마음을 무한한 방식으로 무한하게 산출한다.

② 자연과 문명의 모든 몸과 마음은 영원의 필연성 안에서 본래부터

無極而太極의 몸과 마음 안에 존재한다.

　위의 핵심 요약을 이해하면, 우리는 太極의 동정(動靜)에 대해서 이해할 수 있습니다. 태극의 동정은 영원무한의 생명과 사랑으로 존재하는 단 하나의 실체가 자신의 몸과 마음 안에 본래부터 가지고 있는 무한한 몸과 마음을 낳는 실체의 변용(變容)입니다. 이것은 절대적으로 공간과 시간의 변화로 이해될 수 없습니다. 그것에 의존하는 생각으로는 실체 및 그것의 변용을 이해할 수 없습니다. 실체에 고유한 영원의 필연성 안에서 이루어지는 실체의 변용 또는 動靜을 천명(天命)의 유행이라고 주돈이와 주자는 이해합니다. 선험분석이 생김의 유일한 원인입니다.

　태극의 動靜(변용)에 대해서 주자는 다음과 같이 설명합니다.

[1-2-1 『완역 성리대전』]
　太極之有動靜, 是天命之流行也. 所謂'一陰一陽之謂道.' 誠者聖人之本, 物之始終, 而命之道也. 其動也, 誠之通也, 繼之者善, 萬物之所資以始也. 其靜也, 誠之復也, 成之者性, 萬物各正其性命也. 動極而靜, 靜極復動, 一動一靜, 互爲其根, 命之所以流行而不已也. 動而生陽, 靜而生陰, 分陰分陽, 兩儀立焉, 分之所以一定而不移也.
　蓋太極者, 本然之妙也. 動靜者, 所乘之機也. 太極, 形而上之道也. 陰陽, 形而下之器也. 是以自其著者而觀之, 則動靜不同時, 陰陽不同位, 而太極無不在焉. 自其微者而觀之, 則沖漠無朕, 而動靜陰陽之理已悉具於其中矣. 雖然, 推之於前而不見其始之合, 引之於後而不見其終之離也. 故程子曰, '動靜無端, 陰陽無始, 非知道者孰能識之.'
　태극에 동정이 있는 것은 천명이 유행하는 것이니, 이른바 '한 번

음하고 한 번양하는 것을 도라 한다.'는 것이며, 성은 성인의 본령이니, 물건의 시작과 끝이며 명의 도이다. 그 동은 성이 통해나가는 것이며, 이를 계승하는 것은 선이며, 만물이 의지하여 시작하는 것이다. 그 정은 성의 돌아오는 것이며, 이를 이룬 것은 성이며, 만물이 각각 그 성명을 바루는 것이다. '동이 끝가면 정하고 정이 끝가면 다시 동하며, 한 번 동하고 한 번 정하는 것이 서로 뿌리가 된다.'는 명이 유행하여 그치지 않는 것이다. '동하여 양을 생하고 정하여 음을 생하며, 음으로 나뉘고 양으로 나뉨에 양의가 확립된다.'는 자리가 한 번 정해져서 바뀌지 않는 것이다.

太極의 動靜은 공간과 시간의 변화가 아닙니다. 天命의 유행이 공간과 시간의 개념 및 이 둘의 변화에 대한 개념을 낳습니다. 만약 이와 반대로 天命의 유행이 공간과 시간의 변화로 지각된다면 공간과 시간은 天命에 앞서게 되며 당연히 天命은 그에 종속됩니다. 이것을 긍정하게 되면 無極而太極이 자기원인으로 존재한다는 사실은 부정됩니다. 그러나 太極은 자기원인으로 존재하며 활동하기 때문에 공간과 시간에 의존하지 않습니다. "태극에 동정이 있는 것은 천명이 유행하는 것이니"라고 말한 이유입니다.

한편 太極이 動靜으로 자연과 문명의 몸과 마음을 무한히 낳을 때, 이 모든 것들은 본래부터 太極의 몸과 마음 안에 존재하는 것이라고 했습니다. 太極이 자기에게 없는 것을 만들어 낸다면, 그 즉시 太極은 자기원인이 아닙니다. 太極의 몸을 음(陰)으로 부르고 마음을 양(陽)으로 우리가 정의할 수 있다면(이 주제는 1부의 3장에서 다루었음), 天命의 유행은 陰陽의 운동으로 드러납니다. "이른바 '한 번 음하고 한 번 양하는 것을 도라 한다.'는 것"라고 말한 이유입니다. 太極은 자신의 몸과 마음으로 변용(動靜)함으로써 자연(문명)의 모든 몸과 마음을 낳습니다. 자연의 모든 몸은 태극의 몸에서 생겨나며, 자연의 모든 몸의 마음은 태극의 몸의 마음에서 생겨납니다.

이 원칙은 영원의 필연성이기 때문에 영원으로부터 영원에 이르는 영원성으로 절대적인 진리입니다. 이것을 주돈이와 주자는 '성'(誠)이라 부릅니다. 誠에 대한 설명은 앞의 인용에 근거하여 다음과 같습니다. "성은 성인의 본령이니, 물건의 시작과 끝이며 명의 도이다. 그 동은 성이 통해나가는 것이며, 이를 계승하는 것은 선이며, 만물이 의지하여 시작하는 것이다. 그 정은 성의 돌아오는 것이며, 이를 이룬 것은 성이며, 만물이 각각 그 성명을 바루는 것이다."라고 했습니다. 誠은 물건의 시작과 끝입니다. 모든 몸은 태극의 몸에서 생겨나고 마음도 같은 이치입니다. 이 사실을 이해하는 사람이 바로 성인(聖人)입니다. 이 분명한 설명으로부터 우리는 聖人에 대한 올바른 이해를 정립할 수 있습니다. 聖人은 모든 몸을 無極而太極으로 배워서 이해하는 사람입니다.

자연 안에서 또는 문명 안에서 몸과 마음으로 존재하는 모든 것은 無極而太極의 몸과 마음에 자기 존재의 기원을 두며, 실질적으로 영원무한의 생명과 사랑으로 존재하는 無極而太極의 몸과 마음을 무한한 방식으로 무한하게 드러냅니다. 사실상 우리가 경험하는 것은 공간과 시간의 한계 안에서 감각적으로 지각되는 몸과 마음의 현상이 아니라 無極而太極의 몸과 마음 안에 존재하는 無極而太極의 몸과 마음을 무한한 방식으로 무한하게 체험하는 것입니다. 우리는 이 체험으로 공간과 시간 및 그것의 변화라는 관념을 생성하며, 이로부터 모든 것은 감각적 현상으로 지각됩니다. 그렇다면 그에 대한 참다운 인식이 어디에 있는지는 우리 자신에게 분명합니다.

2. 감정으로 존재하는 太極

　서로 다른 몸과 마음이 지금 '나' 자신의 존재를 구성합니다. 그런데 이 존재는 지금 내가 느끼는 나의 감정입니다. '나=감정'을 확인하는 등식 안에는 당연히 몸과 마음이 존재합니다. 바로 이 지점에서 우리는 서로 다른 몸과 마음이 단 하나의 '나'로 존재하는 것과 같은 이치로, 서로 다른 몸과 마음은 단 하나의 '지금 내 감정'으로 존재한다는 사실을 이해하게 됩니다. 그런데 조금 전에 우리는 우리 자신의 몸과 마음을 비롯해서 자연의 모든 몸과 마음이 無極而太極 안에 존재하며 사실상 無極而太極의 몸과 마음을 증명하는 無極而太極 그 자체라고 확인했습니다. 이 사실에 근거하여 감정을 이해해야 합니다.

　지금 '나'의 몸과 마음은 太極의 몸과 마음입니다. 그런데 지금 나의 '몸과 마음'은 지금 나의 '감정'으로 존재합니다. 그렇다면 당연히 지금 '나'의 감정은 太極의 감정입니다. 太極은 단 하나의 실체이며 그것을 구성하는 속성은 몸과 마음입니다. 이 진실에 의해서 지금 '나'의 몸과 마음이 존재합니다. 그런데 '나'는 지금 '나'의 '감정'으로 존재합니다. 나의 감정이 나의 몸과 마음이 본래 하나라는 사실을 증명한다면, 나의 몸과 마음이 太極에 기원을 두는 이상 당연히 나의 감정도 太極에 기원을 두어야 합니다. 단 하나의 실체가 몸과 마음으로 구성되어 있다면, 실체는 당연히 감정으로 존재합니다. 나의 몸으로 太極의 몸을 이해하듯, 나의 감정으로 太極의 감정을 이해합니다.

우리는 방금 매우 놀랍지만 동시에 매우 당연한 진리를 확인했습니다.

太極을 몸과 마음으로 구성된 단 하나의 실체로 이해한 이상, **太極**은 감정으로 존재합니다.

太極의 감정으로부터 자연 및 인간 세상의 모든 감정이 무한한 방식으로 무한하게 생겨나며, 이 모든 감정은 본래부터 太極의 감정 안에 본래부터 존재합니다. 이 존재가 무한한 방식으로 무한히 드러날 때 우리는 그것을 공간과 시간의 변화로 지각할 뿐이지만, 당연히 그에 대한 참다운 인식은 공간과 시간에 의존하는 감각적 현상이 아니라 그 모든 감각이 자기 안에 본래부터 가지고 있는 본성의 필연성으로서 太極입니다. 이 사실을 연평 이씨는 다음과 같이 확인합니다.

[1-2-1-1 『완역 성리대전』]

曰: 太極動而生陽, 至理之源, 只是動靜闔闢. 至於終萬物始萬物, 亦只是此理一貫也. 到得'二氣交感, 化生萬物'時, 又就人物上推, 亦只是此理. 中庸以喜怒哀樂未發已發言之, 又就人身上推尋. 至於見得大本達道處, 又袞同只是此理. 此理就人身上推尋, 若不於未發已發處看, 即何緣知之. 蓋就天地之本源與人物上推來, 不得不異, 此所以於動而生陽, 難以為喜怒哀樂已發言之. … 人與天理一也, 就此理上皆收攝來, 與天地合其德, 與日月合其明, 與四時合其序, 與鬼神合其吉凶, 皆其度內爾.

(연평 이씨가) 답했다. 『중용』은 희로애락의 미발과 이발로써 말하였으니, 또 사람 몸에서 찾는 것이다. 대본과 달도를 알아내는 데에 이르

러서는 또 온통 이 리일 뿐이다. 이 리는 사람의 몸에서 찾는 것인데, 만일 미발과 이발에서 살피지 않는다면 어떻게 알 수 있겠는가. 대개 천지의 본원과 사람 만물에서 찾은 것은 다르지 않을 수 없다.

연평 이씨는 주자에게 "대본과 달도를 알아내는 데에 이르러서는 또 온통 이 리일 뿐이다."라고 답합니다. 대본(大本)은 몸-생김이며, 달도(達道)는 몸-놀이입니다. 연평 이씨는 몸의 생김과 놀이를 일관하는 본성의 필연성으로 리(理)를 제시합니다. 理가 존재하며 이것은 몸-생김과 몸-놀이를 일관하는 본성의 필연성이며, 이로부터 몸이 무한한 방식으로 생겨나며 동시에 감정이 무한한 방식으로 생겨납니다. 다음으로 매우 중요한 것은 "이 리는 사람의 몸에서 찾는 것인데, 만일 미발과 이발에서 살피지 않는다면 어떻게 알 수 있겠는가."라고 말한 대목입니다. 無極而太極(理)를 인식하는 방법의 기초는 지금 우리 자신의 몸입니다. 우리 자신의 몸에 근거하여 無極而太極을 이해하면 이것은 몸-생김의 선험(未發)로 존재할 뿐만 아니라 몸-놀이의 후험(已發)로 당연히 존재한다는 것입니다.

미발(未發)은 몸-생김 그 자체의 본성으로서 無極而太極입니다. 선험분석입니다. 이발(已發)은 생김의 몸으로 놀이하는 감정입니다. 여기에도 無極而太極(理)가 존재한다는 것이 연평 이씨의 대답입니다. 우리가 우리 자신의 몸에 나아가 생김의 진실을 이해하면 無極而太極을 이해하는 것과 같이 지금 현실적으로 우리 자신이 느끼는 감정에 나아가 그에 고유한 본성을 이해하면 無極而太極을 이해할 수 있다는 것입니다. 지금 나의 몸에서 無極而太極을 이해할 수 있고, 동시에 지금 나의 감정에서 無極而太極을 이해할 수 있습니다. 우리는 감각

적 현상으로 몸의 생김과 놀이를 이해할 수 있지만, 그 모든 현상을
無極而太極으로 이해할 수 있습니다.

3. 太極: 다 좋은 몸, 다 좋은 감정
태 극

무극이태극(無極而太極)은 자기의 몸과 마음으로 무한한 몸과 마음을 낳으며, 동시에 자신의 감정으로 무한한 감정을 낳습니다. 이 작용을 동정(動靜) 또는 변용(變容)이라 합니다. 이 진실은 절대적으로 변화하지 않습니다. 의지력에 의한 것이 아니라 본성에 고유한 영원의 필연성이 그러하기 때문입니다. 이 사실을 주자는 다음과 같이 확인합니다.

[1-2-1-9 『완역 성리대전』]
以理言之, 則天地之間至實而無一息之妄, 故自古至今無一物之不實. 而一物之中, 自始至終皆實理之所爲也. 以心言之, 而聖人之心亦至實而無一息之妄, 故從生至死無一事之不實. 而一事之中, 自始至終皆實心之所爲也. 此所謂誠者物之終始者然也.

(주자가 말했다.) "리로 말하면, 천지의 리는 지극히 진실하여 한순간의 망령도 없으므로 옛날부터 지금까지 한 물건도 진실하지 않음이 없다. 그 한 물건도 처음부터 끝까지 모두 실리가 한 것이다. 마음으로 말하면, 성인의 마음도 역시 지극히 진실하여 한순간의 망령도 없으므로 나서부터 죽을 때까지 한 가지 일도 부실함이 없다. 그 한 가지 일도 처음부터 끝까지 모두 진실한 마음이 한 것이다. 이것이 이른바 '성은

물건의 시작이며 끝이다.'라는 말이 그런 것이다."

"천지의 리는 지극히 진실하여 한순간의 망령도 없으므로 옛날부터 지금까지 한 물건도 진실하지 않음이 없다."라고 했습니다. 자연(문명)의 모든 몸과 마음 그리고 감정은 절대적으로 無極而太極 안에 존재합니다. 그 어떤 것도 우연성이나 가능성으로 존재하지 않습니다. 영원의 필연성 그 자체인 순수지선의 無極而太極 안에서 생겨나고 놀이합니다. 앞에서 논한 바와 같이 이 사실을 이해하는 사람이 성인(聖人)입니다. "마음으로 말하면, 성인의 마음도 역시 지극히 진실하여 한순간의 망령도 없으므로 나서부터 죽을 때까지 한 가지 일도 부실함이 없다."에 근거하여 확실합니다. 따라서 "그 한 가지 일도 처음부터 끝까지 모두 진실한 마음이 한 것이다."는 無極而太極의 마음이며 우리 인간의 마음입니다.

이 마음의 진실이 분명하기 때문에 몸의 진실 또한 이와 다를 수가 없습니다. "그 한 물건도 처음부터 끝까지 모두 실리가 한 것이다."라고 말한 이유입니다. 모든 몸도 자신의 마음과 같은 이치로 無極而太極의 몸 안에서 생겨나고 활동합니다. 주자는 이 사실을 다시 확인합니다.

[1-2-1-14 『완역 성리대전』]
'誠者物之終始'. 却是事物之實理, 始終無有間斷. 自開闢以來, 以至人物消盡, 只是如此. 在人之心, 苟誠實無僞, 則徹頭徹尾, 無非此理, 一有間斷處, 即非誠矣. 凡有一物, 則其誠也必有所始, 其壞也必有所終. 而其所以始者, 實理之至而向於有也, 其所以終者寔理之盡而向於無也. 此誠所以為物之終始.

(주자가 말했다.) "'성은 물건의 시작이며 끝이다.'는 사물의 실리가 처음부터 끝까지 끊어짐이 없는 것이다. (천지가) 개벽한 이래 사람과

만물이 다 사라질 때까지 이와 같을 뿐이다. 사람에게 있는 마음이 진실로 성실하고 거짓이 없으면 철두철미 이 리가 아닌 것이 없고, 하나라도 끊어진 곳이 있으면 곧 성이 아니다. 무릇 한 물건이 있으면, 그 이루어짐에는 반드시 시작이 있고, 그 무너짐에도 반드시 끝이 있다. 그 시작하게 하는 것은 실리가 이르러 있음으로 향하게 하는 것이고, 그 끝나게 하는 것은 실리가 다하여 없음으로 향하게 하는 것이다. 이것이 성이 물건의 시작과 끝이 되는 이유이다."

자연의 모든 몸은 영원무한의 생명과 사랑 그 자체인 無極而太極의 몸 안에 존재하며 이 몸에 의해서 존재하도록 결정되어 있습니다. 이 사실로부터 공간과 시간의 현상으로 지각되는 몸의 모든 변화, 즉 생로병사(生老病死)는 無極而太極의 몸 안에 있습니다. 生老病死는 영원의 필연성으로 존재하는 無極而太極의 몸에 의해서 생겨난 몸이 無極而太極의 몸 안에서 겪는 무한 변화를 요약합니다. 이 지점에서 우리는 죽음에 대한 공포로부터 우리 자신을 구원할 수 있습니다. 죽음은 영원무한의 생명과 사랑 그 자체인 無極而太極의 몸 안에 있습니다. "'성은 물건의 시작이며 끝이다.'는 사물의 실리가 처음부터 끝까지 끊어짐이 없는 것이다. (천지가) 개벽한 이래 사람과 만물이 다 사라질 때까지 이와 같을 뿐이다."라고 말했습니다.

이 논리에 기초하여 太極의 動靜(동정)을 이해해야 합니다. 몸의 생김이 태극 안에 있기 때문에 생겨난 몸이 겪는 생로병사도 태극 안에 있습니다. 몸의 생로병사와 함께 마음도 몸의 변화를 지각합니다. 이 변화를 우리가 감정으로 이해하는 한에서 몸의 놀이를 구성하는 무한한 감정도 모두 태극의 감정 안에 있습니다. 몸의 生老病死가 영원무한의 생명과 사랑으로 존재하는 無極而太極의 몸 안에 있고 감정의 **喜怒哀樂**이 영원무한의 생명과 사랑으로 존재하는 **無極而太極**의 감정 안에 있습니다. 이러한 진리의 필연성을 주자는 다음과 같이 말합니다.

[1-2-1-65 『완역 성리대전』]

道是道理, 事事物物皆有箇道理. 器是形迹, 事事物物亦皆有箇形迹. 有道須有器, 有器須有道, 物必有則.

(주자가 말했다.) "도는 도리이니. 사사물물에 다 도리가 있다. 그릇은 형적이니, 사사물물에 다 형적이 있다. 도가 있으면 반드시 그릇이 있고, 그릇이 있으면 반드시 도가 있으니, 물건에는 반드시 법칙이 있다."

자연 안에 존재하는 모든 몸은 자기 생김에 관하여 **無極而太極**의 몸에 고유한 영원의 필연성을 자기 본성으로 갖습니다. 감정도 마찬가지입니다. 우리가 이 사실에 투철하면, 결국 우리가 할 수 있는 것은 본질적으로 모든 몸에 고유한 본성을 영원의 필연성으로 인식하는 것이며 같은 논리로 모든 감정에 고유한 본성을 영원의 필연성으로 인식하는 것입니다. 그 결과 우리가 누리게 되는 것은 영원무한의 생명과 사랑입니다. 모든 몸이 **無極而太極**의 몸이며, 모든 감정이 **無極而太極**의 감정입니다. "도가 있으면 반드시 그릇이 있고, 그릇이 있으면 반드시 도가 있으니, 물건에는 반드시 법칙이 있다."라고 말한 이유입니다.

이상의 논의로부터 우리에게 중요한 것은 무엇일까요? 앞의 절에서 논의한 바와 같이 자연을 구성하는 모든 몸에 대한 참다운 인식입니다. 즉, 그것을 감각적 현상으로 지각하고 그에 대해서 해석을 하는 것이 아니라 그 자체에 고유한 본성으로서 영원의 필연성 그 자체인 물자체(物自體)의 진실을 이해하는 것입니다. 주자는 다음과 같이 말합니다.

[1-2-1-66『완역 성리대전』]

形而上者, 指理而言, 形而下者, 指事物而言. 事事物物皆有其理, 事物可見, 而其理難知, 即事即物, 便要見此理, 大學之道, 不曰窮理而曰格物, 只是使人就寔處究竟.

(주자가 말했다.) "형이상자는 리를 가리켜서 말한 것이고, 형이하자는 사물을 가리켜서 말한 것이다. 사사물물에 다 그 리가 있는데, 사물은 볼 수 있으나 그 리는 알기 어려우니 사물에 나아가서 바로 그 리를 보려고 하였다. 대학의 도에 '궁리'라고 말하지 않고 '격물'이라고 한 것은 다만 사람으로 하여금 실질적인 곳에 나아가 궁구하게 한 것이다."

"사사물물에 다 그 리가 있는데, 사물은 볼 수 있으나 그 리는 알기 어려우니 사물에 나아가서 바로 그 리를 보려고 하였다."라고 하였습니다. 이 목표를 위해 존재하는 것이 학문입니다. "대학의 도에 '궁리'라고 말하지 않고 '격물'이라고 한 것은 다만 사람으로 하여금 실질적인 곳에 나아가 궁구하게 한 것이다."라고 『대학』의 본지를 설명한 이유입니다. 無極而太極은 자연의 모든 몸과 감정으로 존재합니다. 그러나 그것은 절대적으로 감각적 현상으로 지각되지 않습니다. 학문의 핵심이 종합이 아닌 분석인 이유입니다. 몸에 나아가 선험분석에 기초하여 본성의 진실을 이해하고, 감정에 나아가 후험분석에 기초하여 본성의 진실을 이해하면, 모든 현상이 無極而太極입니다. 다 좋은 몸, 다 좋은 감정의 진실이 환하게 드러납니다.

3장. '陰陽五行'에 관하여

陽變陰合, 而生水火木金土, 五氣順布, 四時行焉.

영원무한의 생명과 사랑으로 존재하는 단 하나의 실체인 '무극이 태극'(無極而太極)은 '몸'과 '마음'이라는 서로 다른 두 개의 속성으로 구성되어 있습니다. 감정과학은 無極而太極의 몸을 음(陰)으로 정의하며 無極而太極의 마음을 양(陽)으로 정의합니다. 우리가 우리 자신을 몸과 마음으로 나누어 말을 할 수 있듯이 단 하나의 실체인 無極而太極도 자신을 몸과 마음으로 나누어 말할 수 있습니다. '나'에게 몸이 있다고 말하며 '나'에게 마음이 있다고 말하는 것은 지극히 당연한 것과 같이 無極而太極의 속성을 몸과 마음으로 나누어 말하는 것이 당연합니다. 無極而太極에 고유한 정신이 자신의 속성을 몸과 마음으로 이해합니다.

無極而太極의 정신이 자기에게 서로 다른 두 개의 속성인 몸과 마음이 존재한다는 사실에 대해서 관념을 형성할 때, 이 관념 안에는 2장의 1절에서 이미 논의한 바와 같이 無極而太極의 몸과 마음으로부터 산출되는 무한한 몸과 마음에 대한 관념도 당연히 존재합니다. 그러나 이 모든 몸과 마음에 대한 관념은 구체적이며 감각적인 형상으로 존재하는 것이 아니라 그 각각에 고유한 것으로서 영원성 그 자체인 본성의 필연성으로 존재합니다. 그렇기 때문에 太極이 정(靜)으로 음(陰)을 생(生)한다는 것은 無極而太極의 정신이 자기 몸 안에서 무한히 산출되는 무한한 몸 각각에 고유한 본성의 필연성을 영원성으로 인식한다는 것을 뜻합니다.

太極이 동(動)으로 양(陽)을 생(生)한다는 것도 논리가 같습니다. 無極而太極은 자기 안에 몸과 함께 마음도 가지고 있습니다. 無極而太極에 고유한 정신은 자기 마음 안에서 무한히 산출되는 무한한 마음 각각에 고유한 본성의 필연성을 영원성으로 인식합니다. 無極而太極은 영원무한의 생명과 사랑 그 자체이며 그 속에는 영원무한의 생명과 사랑으로 존재하는 몸과 마음이 있습니다. 이 몸과 마음이 동정(動靜)의 변용(變容)을 통해서 무한한 몸과 마음으로 드러납니다. 본래부터 존재하는 無極而太極의 몸(靜-陰) 안에 본래부터 존재하는 무한한 몸(靜-陰)이 無極而太極의 정신 안에서 관념으로 존재합니다. 마음도 이와 동일한 논리를 따릅니다.

無極而太極은 자기의 몸으로 무한한 몸을 산출하며, 이 모든 몸은 본래부터 無極而太極의 몸 안에 영원의 필연성으로 존재합니다. 無極而太極의 몸(陰) 안에서 무한한 몸(陰)이 생겨나지만, 이 모든 몸은 본래부터 無極而太極의 몸 안에 존재합니다. 無極而太極의 마음(陽) 안에서 무한한 마음(陽)이 생겨나지만, 이 모든 마음은 본래부터 無極而太極의 마음 안에 존재합니다. 즉, 太極의 동정(動靜)은 본래부터 자기 안에 있는 것을 자기 안에서 산출하는 것입니다. 그 결과 구체적인 형상으로서 몸(마음)이 드러나면 그 몸(마음)을 오행(五行)이라 부릅니다. 그렇기 때문에 五行도 본래부터 陰陽 안에 존재하며, 이것은 본래부터 太極 안에 있습니다.

이상의 논의를 종합으로 이해하면 안 됩니다. 선험분석(先驗分析)은 종합으로 이해하는 모든 것을 낳습니다. 그렇기 때문에 종합에 대한 올바른 이해는 종합이 아니라 분석에 있습니다. 이 사실을 주자도 다음과 같이 확인합니다.

[1-3-1 『완역 성리대전』]

有太極, 則一動一靜而兩儀分, 有陰陽則一變一合而五行具. 然五行者質具於地而氣行於天者也以質而語其生之序則曰水火木金土而水木陽也火金陰也以氣而語其行之序則曰木火土金水而木火陽也金水陰也又統而言之則氣陽而質陰也又錯而言之則動陽而靜陰也. 蓋五行之變至於不可窮, 然無適而非陰陽之道, 至其所以為陰陽者, 則又無適而非太極之本然也, 夫豈有所虧欠間隔哉!

태극이 있으면 한 번 동하고 한 번 정하여 양의가 분립하고, 음양이 있으면 하나는 변하고 하나는 합하여 오행이 갖춰진다. 그러나 오행은 질이 땅에서 갖춰지고 기가 하늘에서 운행한다. 질이 생하는 순서로 말하면 수화목금토인데, 수와 목은 양이고 화와 금은 음이다. 기가 운행하는 순서로 말하면 목화토금수인데, 목과 화는 양이고 금과 수는 음이다. 또 통괄하여 말하면 기는 양이고 질은 음이다. 또 섞어서 말하면 동은 양이고 정은 음이다. 대개 오행의 변화가 끝없는 데까지 이르러도 음양의 도가 아닌 것이 없고, 음양이 되게 하는 까닭에 이르면 또 태극의 본연이 아닌 것이 없으니, 대저 어찌 부족함이나 간격이 있겠는가.

無極而太極의 몸은 오직 자기의 본성인 영원무한의 생명과 사랑으로 존재하는 무한한 몸을 무한히 산출하기 때문에 합(合)입니다. 마음도 이와 동일한 논리이지만 마음은 몸과 자신의 논리에 고유한 선후(先後)의 필연성으로 太極의 動靜(변용)을 인식하기 때문에 변(變)

입니다. "태극이 있으면 한 번 동행하고 한 번 정하여 양의가 분립하고, 음양이 있으면 하나는 변하고 하나는 합하여 오행이 갖춰진다."라고 말한 이유입니다. 그러나 정말 중요한 것은 자연을 구성하는 모든 몸이 본래부터 無極而太極 안에 존재하고 있다는 사실입니다. "대개 오행의 변화가 끝없는 데까지 이르러도 음양의 도가 아닌 것이 없고, 음양이 되게 하는 까닭에 이르면 또 태극의 본연이 아닌 것이 없으니, 대저 어찌 부족함이나 간격이 있겠는가."라고 말함으로써 이 사실을 확인했습니다.

이 사실로부터 자연 안에서 몸으로 생겨나서 무한한 몸과 교차하며 살아가는 우리 인간이 연마해야 하는 학문은 모든 몸과 마음이 無極而太極 안에 존재한다는 사실을 배워서 이해하는 것입니다. 즉, 우리 자신의 몸뿐만 아니라 자연의 모든 몸에 나아가 그 각각에 고유한 본성의 필연성을 이해하는 것입니다.

[1-3-1-8 『완역 성리대전』]

問: 聖人所以因陰陽說出許多道理, 而所說之理皆不離不陰陽者, 蓋緣所以為陰陽者, 元本於實然之理?

曰: 陰陽是氣, 纔有此理, 便有此氣. 纔有此氣, 便有此理. 天下萬事萬物, 何者不出於此理. 何者不出於陰陽.

물었다. "성인이 음양을 가지고 많은 도리를 설명하였고, 그 설명한 리가 다 음양을 떠나지 않은 까닭은 대개 음양이 된 것이 원래 실제로 그런 리에 근본하였기 때문입니까?"

(주자가) 답하였다. "음양은 기이다. 이 리가 있자마자 바로 이 기가 있다. 이 기가 있자마자 곧 이 리가 있다. 천하의 만사만물 중, 무엇이 이 리에서 나오지 않았으며, 무엇이 음양에서 나오지 않았겠는가!"

"천하의 만사만물 중, 무엇이 이 리에서 나오지 않았으며, 무엇이 음양에서 나오지 않았겠는가!"라고 말했습니다. 모든 것은 無極而太極 안에 존재하며 無極而太極의 몸과 마음에 의해서 각각의 몸과 마음으로 존재하도록 영원의 필연성으로 결정되었습니다. 다시 강조하지만 이때의 몸과 마음은 감각적 현상으로 존재하는 모든 몸과 마음에 고유한 본성의 필연성입니다. 이 사실을 아래의 인용에서 확인할 수 있습니다.

[1-3-1-16 『완역 성리대전』]

北溪陳氏曰: 本只是一氣, 分來有陰陽, 又分來有五行. 二與五只管分合運行去. 萬古生生不息, 不止是簡氣, 必有主宰之者, 曰理是也. 理在其中為之樞紐, 故大化流行, 生生未嘗止息.

북계 진씨가 말했다. "본래 하나의 기일 뿐인데, 나눠지면서 음양이 있고, 또 나눠지면서 오행이 있다. 음양과 오행은 다만 나뉘었다 합하였다 하면서 운행해 간다. 만고에 생하고 생하며 쉬지 않는 것은 기 일 뿐만 아니라 반드시 주재하는 자가 있으니, 리라고 하는 것이 이것이다. 리가 그 가운데에서 중추(지도리)가 되므로 큰 조화와 유행이 생하고 생하기를 일찍이 쉰 적이 없다."

북계 진씨는 "반드시 주재하는 자가 있으니, 리라고 하는 것이 이것이다. 리가 그 가운데에서 중추(지도리)가 되므로 큰 조화와 유행이 생하고 생하기를 일찍이 쉰 적이 없다."라고 했습니다. 자연 안에 존재하는 모든 것은 절대적으로 우연성이나 가능성으로 존재하지 않습니다. 모든 것은 자기 존재에 고유한 본성을 영원의 필연성으로 가지고 존재합니다. 그렇기 때문에 생겨난 몸은 자신의 놀이에 관하여도 본성의 필연성을 영원성 그 자체로 따릅니다. 분석 안에 선험과 후험이 있습니다. 모든 것은 생김과 놀이에 관하여 영원성 그 자체인 자기 본성의 필연성을 따릅니다. 그러므로 오직 선험과 후험을 '분석'으로 이해하는 것이 가장 중요합니다.

4장. '氣質之性'에 관하여

五行一陰陽也, 陰陽一太極也, 太極本無極也. 五行之生也, 各一其性.

1. 空間과 時間의 개념 형성

『태극도』(太極圖)는 '무극이태극'(無極而太極)으로 시작하는데, 오행(五行)을 논한 다음에는 '태극본무극'(太極本無極)으로 끝납니다. 太極은 순수지선(純粹至善)이며, 이것을 지금 내 몸에서 이해할 때 실상은 내 몸에 고유한 존재의 필연성으로서 영원무한으로 존재하는 엄마와 아빠의 생명과 사랑입니다. 내 몸을 비롯해서 자연 萬物의 생김에 관하여 생김에 고유한 단 하나의 실체로 존재하는 太極은 절대적으로 감각적 현상으로 지각되지 않습니다. 감각적 현상으로 지각되는 자연의 모든 몸이 자기 안에 본래부터 품고 있는 본성의 진실입니다. 자연 萬物을 감각으로 보면 좋은 것과 나쁜 것으로 분류되는 것 같지만, 모든 것은 영원의 필연성 안에서 純粹至善으로 존재합니다.

단 하나로 존재하며 동시에 자연의 萬物을 낳는 실체로서 太極은 감각적 '현상'으로 지각되지 않으며, 그렇기 때문에 저마다 서로 다른 의견으로 '해석'되는 것도 아닙니다. 太極은 현상과 해석으로 이해되는 것이 아닙니다. 우리 스스로 자기의 몸에 나아가 그에 고유한 본성의 필연성을 명백하게 이해하지 않으면, 자기원인으로 존재하는 太極의 본성을 절대적으로 이해할 수 없습니다. 太極은 영원의 필연성으로 존재하는 '자기원인'이기 때문에 존재하지 않는다고 생각될 수 없습니다. 그러나 그것은 눈과 귀 같은 감각의 대상으로 존재하지 않습니다. 그럼에도 불구하고 太極은 우리의 감각으로 지각하는 모든 事物 안에 존재합니다. 太極 앞에 無極을 둔 까닭입니다.

우리가 無極而太極을 이해하면, 진실로 존재하는 것은 공간과 시간이 아닙니다. 참으로 존재하는 것은 자기원인으로 존재하는 단 하나의 실체인 太極입니다. 이것으로부터 음양(陰陽)이 생겨난다는 것은 太極을 구성하는 속성에 의해서 서로 다른 두 개의 양태가 생겨났다는 것을 뜻합니다. 太極이 陰陽을 낳았다면, 이 陰陽은 당연히 太極 안에 본래부터 존재해야 합니다. 만약 太極이 자기 안에 본래부터 陰陽을 가지고 있지 않았다면, 太極은 자기에게 없는 것을 낳았다는 것이 됩니다. 이것을 긍정하면 우리는 太極의 純粹至善을 긍정할 수 없을 뿐만 아니라 陰陽의 생김에 관하여 본성의 필연성을 설명할 수 없게 됩니다.

陰陽에 의해서 생겨나는 五行에도 같은 논리가 그대로 적용됩니다. 만약 陰陽이 자기 안에 자신이 낳는 五行을 본래부터 가지고 있지 않았다면, 陰陽 보다 五行이 더욱 완전한 것이 됩니다. 또한 五行의 생김에 대해서 본성의 필연성을 설명할 수 없습니다. 이 논의는 太極에도 직결됩니다. 太極이 자기에게 없는 陰陽을 낳고, 陰陽이 자기에게 없는 五行을 낳았다면, 뜻밖에 五行이 純粹至善이 됩니다. 陰陽이 太極 보다 순수지선이며, 五行이 陰陽 보다 순수지선입니다. 그런데 '생기게 하는 것'과 '생기게 하는 것으로부터 생겨난 것'을 비교해 보면, 당연히 '생기게 하는 것'이 '생겨난 것' 보다 더 큰 완전성과 실재성을 갖는다는 것은 지극히 당연하고 자명한 것입니다.

이러한 사실에서 보면, 太極은 본래부터 자기 안에 陰陽을 가지고 있어야 합니다. 太極은 자기 안에 본래부터 가지고 있는 陰陽으로 陰陽을 낳습니다. 같은 이치로 陰陽은 본래부터 자기 안에 五行을 가지고 있어야 합니다. 陰陽은 자기 안에 본래부터 자지고 있는 五行으로 五行을 낳습니다. 그런데 앞에서 논의한 바와 같이 陰陽은 太極 안에 본래부터 존재합니다. 그렇다면 당연히 五行도 본래부터 太極 안에 존재해야 존재합니다. 이 사실을 정리하면, 五行으로부터 자연의 萬物이 생겨났다는 사실을 우리는 어떻게 이해할 수 있을까요? 五行이 본래부터 太極 안에 존재하기 때문에 당연히 五行으로부터 생겨나는 모든 것도 太極 안에 본래부터 영원의 필연성으로 존재합니다.

그런데 이 太極은 감각으로 지각되는 것이 아니라 감각으로 지각하는 모든 것이 자기 안에 생김의 필연성으로 본래부터 가지고 있는 것입니다. 이때 비로소 자연을 구성하는 萬物 하나하나가 각각 太極 안에 존재하는 것일 뿐만 아니라 그 각각이 太極의 순수지선을 증명하는 성스러운 것임을 깨닫게 됩니다. 만물 하나하나가 태극입니다. 이 사실을 확인하는 것이 '一太極'(일태극)입니다. 太極 앞에 一을 둔 이유는 萬物 각각이 純粹至善 그 자체인 太極 안에 본래부터 존재할 뿐만 아니라 그 자체로 太極의 완전성을 증명하기 때문입니다. 그러나 '太極 = 萬物'이라고 할 때, 이 등식(=)이 내포하는 진실을 알아야 합니다. 太極은 단 하나의 실체입니다. 이 사실을 위해 '太極'에 이어서 '本'無極이라고 했습니다. '一'無極이 아닙니다.

우리가 이 논리를 이해하면, 엄밀히 말해서 陰陽이나 五行이 중요하지 않습니다. 정말 중요한 것은 자연 안에 존재하는 것으로 우리가 감각적으로 지각하는 모든 것이 純粹至善 그 자체인 太極 안에 본래부터 존재하며 동시에 太極에 의해서 존재하도록 영원의 필연성으로 결정되었다는 사실을 이해하는 것입니다. 저마다 서로 다른 감각적 경향이나 과거의 경험 및 그에 대한 해석에 의해서 자연을 구성하는 모든 것은 저마다 서로 다르게 좋음과 나쁨으로 지각됩니다. 그러나 영원의 필연성에 의해서 자연을 구성하는 모든 것은 純粹至善 그 자체로 존재하는 太極 안에 본래부터 존재하며 太極에 의해서 존재하도록 결정되었습니다. 이제부터 중요한 것은 純粹至善 안에서 좋은 것과 싫은 것을 배워서 純粹至善을 확인하는 것입니다.

이 확인으로부터 우리는 대상 사물을 감각적 현상으로 지각하며 해석하지 않습니다. 좋은 것이라고 느끼는 것에 나아가 그에 고유한 본성의 필연성을 배워서 이해해야 합니다. 같은 방식으로 나쁜 것이라고 느끼는 것에 나아가 그에 고유한 본성의 필연성을 배워서 이해해야 합니다. 우리가 이러한 방식으로 그 각각에 고유한 본성을 이해하는 한에서 감각적으로 지각된 모든 것은 자기 생김에 관하여 영원무한의 필연성을 가지고 있다는 사실을 우리는 이해하게 됩니다. 이 이해로부터 우리는 모든 것을 純粹至善의 太極 안에서 이해하게 됩니다. 그 결과 자연 안에 무한한 방식으로 무한하게 존재하는 모든 것이 영원의 純粹至善으로 존재한다는 사실을 이해합니다.

우리가 이와 같은 방식으로 자연 안에 존재하는 모든 것을 太極의 질서 안에서 이해할 때, 모든 것 각각에 고유한 성질들이 太極 안에 존재한다는 사실을 확인할 수 있습니다. 물은 물에 고유한 성질을 가지고 있습니다. 그러나 이것은 太極 안에 본래부터 존재합니다.

불과 나무, 금속 그리고 땅에 이르기까지 자연의 모든 것이 그 각각에 고유한 성질을 가지고 있지만, 그것은 본래부터 物自體인 無極으로 존재하는 太極 안에 존재합니다. 물은 위에서 아래로 흐르며, 불은 아래에서 위로 올라갑니다. 나무는 아래로 내려가면서 위로 올라갑니다. 구리 또는 철 같은 금속은 자기만의 녹는 온도가 있습니다. 이 모든 것을 땅이 품고 있습니다. 우연성으로 존재하는 것은 없습니다.

이상의 논의로부터 우리는 공간과 시간에 대한 개념이 무엇인지 이해할 수 있습니다. 자기원인의 실체로 존재하는 단 하나의 太極은 자기 안에 본래부터 가지고 있는 陰陽, 五行, 그리고 萬物을 무한한 방식으로 무한히 낳습니다. 이것을 양태(樣態)라고 부릅니다. 우리가 이것들을 서로 비교할 때, 그때 우리는 공간과 시간의 개념을 형성하게 됩니다. 예를 들어서 太極에 의해서 나무가 생겨날 때, 나무들은 서로 다른 곳에 존재합니다. 공간의 개념이 생겨납니다. 어떤 나무들은 크지만 다른 어떤 나무들은 이제 막 뿌리에서 나온 것입니다. 시간의 개념이 생겨납니다. 이처럼 자연의 樣態 또는 萬物은 본래부터 영원의 필연성으로 太極 안에 존재하지만, 서로 다른 樣態(萬物)를 비교하면 그때 비로소 자연스럽게 공간과 시간의 개념이 형성됩니다.

주자는 다음과 같이 말합니다.

[1-4-1 『완역 성리대전』]

陰陽異位, 動靜異時, 而皆不能離乎太極. 至於所以爲太極者, 又初無聲臭之可言, 是性之本體然也, 天下豈有性外之物哉, 然五行之生, 隨其氣質而所稟不同, 所謂各一其性也. 各一其性, 則渾然太極之全體無不各具於一物之中, 而性之無所不在又可見矣.

4장. '氣質之性'에 관하여　205

"음과 양은 자리(공간)을 달리하고 동과 정은 시간을 달리하지만 모두 태극을 떠날 수 없다. 태극이 되는 까닭에 이르러서 또 애초 말로 표현할 만한 소리나 냄새가 없는 것은 성의 본체가 그러하니, 천하에 어찌 성 밖의 물건이 있겠는가? 그러나 오행이 생함에 그 기질에 따라 받은 것이 같지 않음은 이른바 '각자 그 성을 하나씩 지닌다.'는 것이다. '각각 그 상을 하나씩 지나면' 온전한 태극 전체가 한 물건 속에 각각 갖춰지지 않은 것이 없으니, 성이 없는 곳이 없다는 것을 알 수 있다."

樣態를 비교하면, 반드시 공간과 시간의 개념이 형성됩니다. "음과 양은 자리(공간)을 달리하고 동과 정은 시간을 달리하지만"이라고 말한 까닭입니다. 그러나 지금까지 논의한 바와 같이 이 모든 것은 절대적으로 본래 無極으로 존재하는 太極 안에 있습니다. "모두 태극을 떠날 수 없다. 태극이 되는 까닭에 이르러서 또 애초 말로 표현할 만한 소리나 냄새가 없는 것은 성의 본체가 그러하니, 천하에 어찌 성 밖의 물건이 있겠는가?"라고 말한 까닭입니다. 또한 太極으로부터 생겨난 모든 것은 각자 자기만의 고유한 성질을 가지고 있습니다. 이것을 주자는 기질지성(氣質之性)이라고 부릅니다. "오행이 생함에 그 기질에 따라 받은 것이 같지 않음은 이른바 '각자 그 성을 하나씩 지닌다.'는 것이다."라고 말했습니다.

그러나 이 모든 氣質은 무한히 서로 다름에도 불구하고 본래부터 太極 안에 존재합니다. "'각각 그 상을 하나씩 지나면' 온전한 태극 전체가 한 물건 속에 각각 갖춰지지 않은 것이 없으니, 성이 없는 곳이 없다는 것을 알 수 있다."라고 말했습니다. 공간과 시간의 개념은 별도로 존재하는 것이 아닙니다. 초월적인 것도 아니며 사실상 실체가 없는 것입니다. 太極 안에서 太極에 의해서 무한히 생겨나는 樣態를 우리가 감각적 현상으로 지각할 때, 樣態의 서로 다름에 대해서 우리가 생각하면서 자연스럽게 형성하게 되는 개념입니다. 다음으로 중요한 것은 樣態에 고유한 성질로서 '氣質之性'입니다. 그러나 이것은 절대적으로 太極에 의해서 생겨난 것입니다. 그러한 한에서 영원의 필연성을 고유한 본성으로 갖습니다.

그러므로 우리가 어떤 樣態의 氣質之性에 나아가 그에 고유한 본성으로서 영원성을 이해하면, 그 순간이 純粹至善의 太極을 이해하는 성스러운 순간입니다. 이 주제를 우리 인간의 이야기로 이해해 보겠습니다. 우리 모두는 서로 다른 부모님에 의해서 태어났습니다. 족보와 가문이 서로 다릅니다. 이처럼 엄마아빠의 이야기는 서로 다 다르지만, 엄마아빠 없이 존재하는 자식은 절대적으로 없다는 것은 영원의 필연성입니다. 엄마아빠의 존재를 무한한 다양성으로 이해하는 것이 陰陽 또는 그 각각에 고유한 기질지성이라면, 엄마아빠의 존재를 단 하나의 실체로 이해하는 것은 太極 또는 本然之性입니다. 이로부터 우리의 존재 방식을 두 가지로 이해할 수 있습니다. 그러나 순서는 분명합니다. 太極 안에서 陰陽 또는 氣質之性입니다.

2. 本然之性 안에 존재하는 氣質之性

조금 전에 太極 안에 陰陽과 五行이 본래부터 존재한다는 사실을 다루었습니다. 太極은 아무 것도 없는 텅 빈 것이 아니라 영원의 필연성을 따라서 자기가 본래부터 가지고 있는 陰陽五行으로 무한한 방식으로 무한하게 陰陽五行을 낳으며 이것으로 다시 萬物을 낳습니다. 쉽게 말해서 太極은 자기 안에 영원의 필연성으로 무한한 몸을 가지고 있기 때문에 이것을 그대로 자연의 萬物로 낳습니다. 이러한 이해를 주자도 다음과 같이 확인합니다.

[1-4-1-2 『완역 성리대전』]
陰陽是氣, 五行是質. 有這質, 所以做得物事出來. 五行雖是質, 他又有五行之氣做這物事方自然. 却是陰陽二氣截做這五箇, 不是陰陽外別有五行.

(주자가 말했다.) "음양은 기이고 오행은 질이다. 이 질이 있어서 물건을 만들어낼 수 있는 것이다. 오행은 비록 질이지만, 거기에는 또 오행의 기가 있어서 비로소 이 물건을 만들어낼 수 있다. 그러나 도리어 음양 두 기를 갈라서 다섯 개를 만든 것이지, 음양 외에 별도로 오행이 있는 것은 아니다.

"음양 외에 별도로 오행이 있는 것은 아니다."라고 했습니다. 陰陽은 太極에 의해서 생겨난 것이므로 결국 자연의 萬物은 太極의 몸에 의해서 무한한 방식으로 무한히 생겨난 것입니다. 또한 자연의 무한한 몸은 본래부터 太極의 몸 안에 존재합니다. 이 분명한 사실로부터 자연의 萬物은 단 하나도 빠짐없이 자기 존재에 관하여 영원의 필연성을 따르며, 그러한 한에서 영원무한의 생명과 사랑으로 존재하는 純粹至善입니다. 여기에서 말하는 영원무한은 시간의 지속이 아니며, 純粹至善은 감각적 현상에 대한 각기 서로 다른 해석이 아닙니다. 존재 자체가 영원의 필연성 안에 있다는 사실로부터 연역되는 존재에 고유한 진실입니다.

이러한 진실을 주자는 다음과 같이 확인합니다.

[1-4-1-3 『완역 성리대전』]

問: 太極圖所謂太極, 莫便是性否?

曰: 然. 此卽理也.

물었다. "『태극도』에서 말한 태극은 바로 성이 아닙니까?"

(주자가) 답했다. "그렇다. 이것은 곧 리이다."

자연 萬物은 서로 다른 성질을 가지고 있습니다. 같은 부류에 속하는 것이라고 해도 성질이 서로 다릅니다. 쉽게 이해하기 위해서 어떤 사람은 커피를 좋아하지만 다른 어떤 사람은 커피를 싫어합니다. 그리고 어떤 사람은 특정한 상황에 화를 내지만, 다른 어떤 사람은 화를 내지 않습니다. 그런데 우리 인간만 그런 것이 아닙니다. 자연의 모든 것은 각자 자기에게 고유한 성질을 가지고 있습니다. 그러나 서로 다른 이 성질들은 자기 본성에 관하여 영원의 필연성을 따릅니다. 쉬운 예로 어떤 사람이 특정 환경이나 조건 하에서 독특한 감정을 느끼고 있다고 가정합시다. 이때 우리가 그이의 감정을 우연적인 것을 바라보면, 그 즉시 그이는 불쾌감을 느낍니다. 그이는 자기의 감정을 필연적인 것으로 이해하고 있습니다.

자연을 구성하는 萬物을 감각적 현상으로 바라보면 서로 다릅니다. 급기야 좋은 것과 나쁜 것이 있는 것 같습니다. 몸으로 느끼는 감정도 마찬가지입니다. 선한 감정과 악한 감정이 있는 것 같습니다. 그러나 모든 것은 자기 존재에 관하여 영원의 필연성을 본성으로 갖습니다. 이 사실이 "이것은 곧 리이다."를 뜻하는 성즉리(性卽理)입니다. 萬物에 고유한 氣質之性은 太極을 본성으로 갖는다는 것입니다. 이 사실을 주자와 남헌 장씨도 다음과 같이 확인합니다.

[1-4-1-4 『완역 성리대전』]
天下無性外之物. 有此物即有此性, 無此物則無此性.
(주자가 말했다.) "'천하에 성 밖의 물건은 없다.' 이 물건이 있으면 곧 이 성이 있고, 이 물건이 없으면 이 성이 없다."

[1-4-1-8 『완역 성리대전』]
南軒張氏曰: 五行生質雖有不同, 然太極之理未嘗不存也. 故曰'各一其性'. 五行'各一其性', 則為仁義禮智信之理, 而五行各專其一焉.
남헌 장씨가 말했다. "오행은 타고난 기질에는 비록 다름이 있지만 태극의 리를 갖지 않은 적이 없다. 그러므로 '각각 그 성을 하나씩 지닌다.'고 한다. 오행이 '각각 그 성을 하나씩 지니면' 인의예지신의 리가 되고, 오행 각자는 그중의 오로지 하나만을 차지한다."

그러므로 성리학(性理學)은 관념론이나 유물론이 아닙니다. 모든 것이 자기 존재에 관하여 영원의 필연성을 따른다는 사실로부터 그 각각의 몸에 고유한 성질 또는 기질지성은 영원의 필연성 안에서 純粹至善입니다. 이 사실이 우리에게 분명할 때 우리는 인간의 다양성 및 자연의 모든 것을 純粹至善 안에서 믿고 배울 수 있습니다. 자연을 정복의 대상으로 바라보지 않습니다. 인간을 감각적 현상으로 판단하지 않습니다. 이 믿음 안에서 우리가 모든 것을 배울 때, 싫은 것이 사실은 영원의 필연성 안에서 純粹至善일 수 있으며, 반대로 좋은 것이 사실은 純粹至善을 부정하는 것일 수 있습니다. 이렇게 배우면, 우리는 다 좋은 세상을 누릴 수 있습니다.

3. 감정과학으로서 性理學의 美學
성리학   미학

　성리학(性理學)은 자연 안에 존재하는 모든 것을 최고의 완전성 안에서 최고의 아름다움으로 인식합니다. 우리의 감각과 경험에 근거하여 자연의 萬物을 바라보면, 불완전한 것이 존재하는 것 같습니다. 심지어 우리의 행복을 위해서 반드시 제거해야 하는 惡이 자연 안에 존재하는 것 같습니다. 그러나 이러한 방식으로 자연을 이해하는 한에서 우리는 절대적으로 '전쟁 정신'으로부터 자유로울 수 없습니다. 전쟁은 기본적으로 악(惡)이 존재한다는 전제 하에 그것의 존재를 부정하는 것입니다. 자연을 대상으로 전쟁하겠다는 생각은 당연히 인간 상호간에 전쟁하겠다는 생각으로 이어집니다.

　자연의 萬物 가운데 惡으로 존재하는 것이 있다는 것과 인간 세상 안에 惡으로 존재하는 인간 내지는 인간의 무리가 있다는 것은 논리가 서로 다르지 않습니다. 우리가 이러한 방식으로 존재를 이해하면, 우리의 정신이 전쟁으로 물드는 것은 피할 수 없습니다. 이 문제를 해결하기 위해서 우리는 무엇보다도 太極의 몸에 대해서 생각해야 합니다. 太極은 자기원인으로 존재하는 단 하나의 실체입니다. 太極은 자기의 몸으로 자연의 모든 몸을 무한한 방식으로 무한히 낳습니나. 이것으로 太極의 영원무한을 우리는 이해할 수밖에 없습니다. 오직 이 이유로 우리는 자연의 모든 몸을 무한한 방식으로 무한하게 경험할 수 있으며, 같은 논리적 맥락에서 인간의 몸이 무한히 생겨난다는 것을 이해할 수 있습니다.

우리는 자연 안에 존재하는 몸 가운데 '이런 몸은 없으면 좋겠다.'고 생각할 수 있습니다. 같은 맥락에서 인간 세상 안에 '이런 인간은 없으면 좋겠다.'고 생각할 수 있습니다. 그러나 이 생각은 엄밀히 말해서 太極의 영원무한을 부정하는 것입니다. 왜냐하면 우리의 감각과 경험에 근거하여 어떤 존재의 善惡 내지는 有無를 결정할 때, 우리에 의해서 惡 또는 無로 분류된 존재는 엄밀히 말해서 太極의 영원무한을 증명하기 때문입니다. 몸으로 존재하는 것은 존재 그 자체만으로 太極을 본성으로 가지고 있으며, 그러한 한에서 모든 몸은 영원의 완전성으로 순수지선입니다. 나쁜 것은 절대적으로 없다는 사실을 믿고 이 사실을 배워서 이해해야 합니다.

물론, 우리는 얼마든지 자연 안에는 나쁜 것이 있다고 말할 수 있으며, 더 나아가 존재를 부정하고 싶은 것이 있다고 말할 수 있습니다. 대표적으로 코로나 바이러스 같은 것을 예로 들 수 있습니다. 이러한 생각은 지극히 당연한 것입니다. 왜냐하면 비록 우리를 포함하여 자연의 모든 것은 太極 안에서 존재하며 太極에 의해서 존재하도록 결정되어 있지만, 그럼에도 불구하고 엄격히 말해서 지금 우리의 현실은 우리 자신에 고유한 몸인 양태(樣態)로 존재하며 동시에 이에 근거하여 자연의 萬物과 교차하기 때문입니다. 양태로 존재하는 지금 나의 몸에 근거하여 다른 인간의 몸 및 자연의 모든 것을 평가하고 이해할 수 있습니다. 그러한 한에서 좋은 것과 나쁜 것을 구분하는 것은 지극히 당연합니다.

그러나 조금 전에 언급한 바와 같이 모든 것은 太極(영원의 필연성) 안에서 太極에 의해서 존재하도록 결정되어 있습니다. 이 사실에 기초하여 우리 자신과 자연의 萬物을 이해해야 합니다. 이 이해는 양태(樣態)로 생겨나서 살아가는 우리가 형성한 자연의 萬物에 대한 생각을 부정하지 않습니다. 오히려 이 생각을 귀한 것으로 여깁니다. 왜냐하면 이 생각이 아니면 우리 자신을 비롯해서 자연의 萬物이 존재한다는 사실 조차 확인할 수 없기 때문입니다. 감각에 기초하여 우리 자신 및 자연의 萬物을 확인할 때, 우리는 그것의 존재를 의심하지 않습니다. 또한 이에 기초하여 우리 자신과 萬物을 善惡으로 판단할 때, 우리는 보다 분명히 존재를 확인할 수 있습니다.

이 사실에 입각하여 우리에게 중요한 것은 善을 추구하거나 惡을 부정하는 것이 아니라 지금 우리에게 善惡으로 존재하는 것에 나아가 그에 고유한 본성을 이해하는 것입니다. 이 이해가 분명할 때, 우리는 우리 자신의 정신을 전생 정신으로부터 구원할 수 있게 됩니다. 우리의 정신에 고유한 생명과 사랑으로 돌아가게 됩니다. 이 정신으로 자연의 萬物 및 인간의 생명과 사랑을 영원무한으로 보호할 수 있습니다. 인간이 서로를 향해 폭력과 살인 및 전쟁을 결정하는 이유는 서로를 惡으로 규정하기 때문입니다. 이 정신에 의해서 인간이 각각 전쟁 정신에 빠지면 끝없는 전쟁의 악순환을 무한히 되풀이하게 됩니다. 여기에도 영원무한이 있습니다. 그러나 이것은 참된 영원무한이 아닙니다. 영원무한은 생명과 사랑입니다.

이 진실을 주자도 다음과 같이 확인합니다.

[1-4-1-9 『완역 성리대전』]

性之本, 一而已矣, 而其流行發見, 則人物所禀有萬不同焉. 蓋何莫而不由於太極, 亦何莫而不具於太極, 是其本之一也. 然有太極, 則有二氣五行, 絪縕交感, 其變不齊. 故其發見於人物者, 未嘗不各具於其氣禀之內. 故原其性之本一, 而察其流行之各異, 知其流行之各異, 而本之一者初未嘗不究也, 而後可與論性矣. 故程子曰, '論性不論氣不備, 論氣不論性不明.' 蓋論性而不及氣, 則昧夫人物之分, 而太極之用不行矣, 論氣而不及性, 則迷夫大本之一, 而太極之體不立矣.

(남헌 장씨가 말했다.) "성의 근본은 하나일 뿐이지만, 유행하고 발현하면 사람과 만물이 받은 것에는 만 가지로 다름이 있다. 대개 아무것도 태극에서 말미암지 않은 것이 없으며 또 아무것도 태극에 갖춰지지 않은 것이 없으니, 그 근본은 하나이다. 그러나 태극이 있으면 두 기와 오행이 꼭 붙어서 교감하니 그 변화가 가지런하지 않다. 그러므로 사람과 만물에서 발현한 것이 기품 안에 각각 갖춰지지 않은 적이 없다. 따라서 그 성이 본래 하나인 것에서 근원을 캐고 그 유행이 각각 다른 것을 살펴서, 그 유행이 각각 다르지만 근본이 하나인 것은 애초에 완전하지 않은 적이 없다는 것을 안 뒤에 함께 성을 논할 수 있을 것이다. 그러므로 정자가 말하기를, '성을 논하고 기를 논하지 않으면 완비되지 못한 것이고, 기를 논하고 성을 논하지 않으면 밝지 못하다.'고 하였다 대개 성을 논하면서 기를 언급하지 않으면 사람과 만물의 구분에 어두워 태극의 용이 유행하지 못할 것이고, 기를 논하면서 성을 언급하지 않으면 대본이 하나임에 어두워 태극의 체가 서지 못할 것이다.'

"대개 아무것도 태극에서 말미암지 않은 것이 없으며 또 아무것도 태극에 갖춰지지 않은 것이 없으니, 그 근본은 하나이다."라고 했습니다. 太極은 자기원인으로 존재하는 단 하나의 실체입니다. 이 사실을 확인합니다. 그러나 이에 이어서 "그러나 태극이 있으면 두 기와 오행이 꼭 붙어서 교감하니 그 변화가 가지런하지 않다."라고 말합니다. 이 말은 자연의 萬物을 불완전으로 이해하는 것이 절대 아닙니다. 太極의 몸에 고유한 무한성으로 인해 자연의 萬物은 무한한 방식으로 무한히 존재합니다. 이 무한성이 우리에게는 '不善'이나 '惡'으로 다가옵니다. 이때 우리가 太極 안에서 이 모든 것을 배우지 않으면 전쟁을 피할 수 없게 됩니다. 이러한 맥락에서 위에 인용된 핵심 부분을 따로 살펴보겠습니다.

따라서 그 성이 본래 하나인 것에서 근원을 캐고 그 유행이 각각 다른 것을 살펴서, 그 유행이 각각 다르지만 근본이 하나인 것은 애초에 완전하지 않은 적이 없다는 것을 안 뒤에 함께 성을 논할 수 있을 것이다.

"그 유행이 각각 다르지만 근본이 하나인 것은 애초에 완전하지 않은 적이 없다는 것을 안 뒤에"라고 말한 부분이 性理學의 핵심이며 美學입니다. 우리가 不善이나 惡으로 규정한 모든 것에 나아가 그에 고유한 본성으로서 太極을 이해하는 한에서 우리는 진실로 자연 萬物의 아름다움을 영원무한으로 이해하게 됩니다. 그 결과는 무엇일까요? 우리는 영원으로부터 영원에 이르는 영원의 필연성 안에서 영원무한의 아름다움을 최고의 완전성 안에서 최고의 행복으로 누리게 됩니다. 성리학을 감정과학으로 이해할 때 우리는 이 행복을 누릴 수 있습니다. 성리학의 본질이 감정과학이기 때문에 우리가 성리학으로 자연을 이해하는 한에서 이 행복은 목적이나 결과가 아니라 학문을 연마하는 순간의 성스러움입니다.

5장. '無極之眞'에 관하여
무 극 지 진

無極之眞, 二五之精, 妙合而凝, 乾道成男, 坤道成女, 二氣交感, 化生萬物, 萬物生生, 而變化無窮焉.

1. 永遠無限의 생명과 사랑
영 원 무 한

우리는 영원무한의 생명과 사랑을 최고의 행복으로 추구하지만, 그런 것은 존재하지 않는다고 생각합니다. 그러나 성리학의 감정과학에 근거하면, 영원무한의 생명과 사랑은 우리 자신의 본성입니다. 더 나아가 자연의 萬物이 본래부터 자기 안에 가지고 있는 자기 존재의 필연성입니다. 모든 것은 영원무한의 생명과 사랑 안에서 영원무한의 생명과 사랑으로 생겨났습니다. 이 사실로부터 모든 것은 영원무한의 생명과 사랑으로 살아가도록 영원의 필연성으로 결정되어 있습니다. 몸으로 살아가는 지금 우리의 순간이 영원무한의 생명과 사랑 안에 있습니다. 이 사실을 이해하는 방법은 우리 각자가 자기 몸에 나아가 생김의 필연성을 생각해 보는 것입니다.

우리 자신의 몸에 대해서 우리 스스로 생각해 보면, 엄마아빠의 몸이 존재한다는 사실은 영원의 필연성입니다. 그리고 이 두 분의 몸은 반드시 서로 사랑해야 합니다. 여기에서 핵심은 엄마아빠의 생명과 사랑을 우리 몸 안에서 영원의 필연성으로 이해하는 것입니다. 엄마아빠의 몸과 사랑에 관련된 소문이나 경험에 의존해서는 절대 안 됩니다. 지금 우리 자신의 몸에 대한 우리 자신의 생각이 자기 안에서 자기 스스로 형성하는 이해를 확인하는 것이 관건입니다. 이 것을 감정과학은 '자기이해' 또는 '자기 분석의 이해'라고 부릅니다. 오직 이 이해에 의해서 형성되는 엄마아빠의 이야기가 영원무한의 생명과 사랑입니다.

이 생명과 사랑이 우리 자신의 유일한 기원이며 그에 고유한 본 성은 영원무한의 생명과 사랑입니다. 우리는 우리 몸의 생김에 관하 여 이것 이상으로 생각할 수 없습니다. 존재의 기원을 생각하면 생 각할수록 그에 비례하여 엄마아빠의 생명과 사랑만을 영원무한으로 확인합니다. 이것을 주자는 '어미'(엄마)와 '아비'(아빠)의 도(道)라고 부릅니다.

[1-5-1 『완역 성리대전』]

夫天下無性外之物, 而性無不在. 此無極二五所以混融而無間者也, 所謂妙 合者也. 眞以'理'言, 無妄之謂也. 精以'氣'言, 不二之名也. 凝者, 聚也, 氣聚 而成形也. 蓋性爲之主, 而陰陽五行爲之經緯錯綜, 又各以類凝聚而成形焉. 陽 而健者成男, 則父之道也, 陰而順者成女, 則母之道也. 是人物之始以氣化而生 者也. 氣聚成形, 則形交氣感, 遂以形化, 而人物生生變化無窮矣.

대처 천하에 성 밖의 물건이 없고 성이 없는 곳이 없다. 이것은 무 극과 음양오행이 융합하여 틈이 없는 까닭이며, 이른바 묘하게 합한 것 이다. '진리'는 리로 말한 것이니, 망령이 없다는 말이다. '정'은 기로 말 한 것이니, 둘이 아니라는 것에 이름 붙인 것이다. '엉기다'는 '모이다' 는 뜻이니, 기가 모여서 형체를 이루는 것이다. 대개 성이 주체가 되고,

음양오행이 씨줄과 날줄로 얽은 것이 되고, 또 각각 같은 부류끼리 엉겨서 형체를 이룬다. 양이면서 강건한 자는 남성을 이루니 아비의 도이고, 음이면서 순한 자는 여성을 이루니 어미의 도이다. 이것은 사람과 만물이 처음에 기화로써 생긴 것이다. 기가 모여 형체를 이루면 형체가 교접하고 기가 감응하여 드디어 형화로써 사람과 만물이 생하고 생하여 변화가 무궁한 것이다.

"양이면서 강건한 자는 남성을 이루니 아비의 도이고, 음이면서 순한 자는 여성을 이루니 어미의 도이다. 이것은 사람과 만물이 처음에 기화로써 생긴 것이다."라고 말했습니다. 우리 자신의 몸에 근거하여 우리 자신의 생김을 우리 스스로 이해하는 한에서 엄마아빠의 생명과 사랑은 영원의 필연성입니다. 이것이 몸-생김에 고유한 기원이며, 이것은 영원의 필연성 그 자체이기 때문에 오직 이 사실로부터 엄마아빠의 생명과 사랑은 단 하나의 실체로 존재하는 자기원인입니다. 이 존재를 성리학은 무극이태극(無極而太極)이라고 부릅니다. 이 사실을 위의 인용에 이어지는 주자의 주장에서 확인할 수 있습니다.

[1-5-1 『완역 성리대전』]

自男女而觀之, 則男女各一其性, 而男女一太極也. 自萬物而觀之, 則萬物各一其性, 而萬物一太極也. 蓋合而言之, 萬物統體一太極也, 分而言之, 一物各具一太極也. 所謂'天下無性外之物而性無不在'者, 於此尤可以見其全矣. 子思子曰, '君子語大, 天下莫能載焉, 語小, 天下莫能破焉.' 此之謂也.

남성과 여성을 가지고 보면 남성과 여성이 각각 그 성을 하나씩 지니지만, 남녀는 하나의 태극이다. 만물로부터 보면 만물이 삭삭 그 성을 하나씩 지니지만, 만물은 하나의 태극이다. 대개 합하여 말하면 만물이 통째로 하나의 태극이며, 나누어 말하면 물건마다 각각 하나의 태극을 갖춘다. 이른바 '천하에 성 밖의 물건이 없고 성이 없는 곳이 없다.'는 것을 여기에서 더욱 그 전모를 볼 수 있다. 자사자가 '군자가 큰 것을 말하면 천하가 다 실을 수 없고, 작은 것을 말하면 천하가 그것을 깰 수 없다.'고 말한 것은 이것을 이름이다.

"남성과 여성을 가지고 보면 남성과 여성이 각각 그 성을 하나씩 지니지만, 남녀는 하나의 태극이다."라고 했습니다. 남(아빠)녀(엄마)가 각각 하나의 太極입니다. 그러면 太極은 두 개로 존재하는 것일까요? 그렇지 않습니다. 엄마와 아빠는 내 존재에 관하여 사랑 안에서 절대로 분리되지 않습니다. 이 사랑이 영원무한이기 때문에 태극이며, 이 태극을 구성하는 것은 엄마와 아빠이기 때문에 이 두 분이 각각 태극입니다. 이 진실에 의해서 지금 우리 자신의 몸이 생겨나며 자연의 萬物이 생겨납니다. 자연의 만물도 생김에 있어서 인과의 필연성을 따르기 때문에 결과로 존재하는 萬物에 나아가 원인을 추궁하면 할수록 결국 자기원인으로 존재하는 실체를 인정하게 됩니다. 이것으로부터 모든 결과가 생겨난 것이므로 이 인과의 필연성을 영원무한의 생명과 사랑으로 이해할 수밖에 없습니다.

다음으로 중요한 것은 영원무한의 생명과 사랑에 의해서 생겨난 것의 본성은 무엇이냐는 것입니다. 단 하나의 실체로 존재하는 太極에 의해서 모든 것이 생겨난다면 당연히 그 모든 것은 영원무한의 생명과 사랑으로 존재하는 太極의 본성을 자신의 본성으로 갖습니다. "대개 합하여 말하면 만물이 통째로 하나의 태극이며, 나누어 말하면 물건마다 각각 하나의 태극을 갖춘다."라고 말할 수밖에 없는 이유가 여기에 있습니다. 이 사실로부터 다음의 결론은 영원의 진리입니다. 모든 것은 太極 안에서 太極에 의해서 생겨난 것이며, 오직 이 사실에 근거하여 太極을 본성으로 갖습니다. 만물 하나하나가 太極입니다. 이 사실을 부정하며 존재하는 것은 절대적으로 존재하지 않으며, 그 어떤 것으로도 이 사실을 부정할 수 없습니다.

이 사실을 바로 위에 있는 인용에서 다음과 같이 확인할 수 있습니다.

> 자사자가 '군자가 큰 것을 말하면 천하가 다 실을 수 없고, 작은 것을 말하면 천하가 그것을 깰 수 없다.'고 말한 것은 이것을 이름이다.

"큰 것을 말하면 천하가 다 실을 수 없고"라는 것은 모든 것은 영원무한의 생명과 사랑에 의해서 생겨난 것이므로 자연 안에 무한한 방식으로 무한하게 존재하는 것은 절대적으로 太極 안에서 太極을 자기 존재에 고유한 본성으로 가지고 존재한다는 사실을 확인합니다. "작은 것을 말하면 천하가 그것을 깰 수 없다."는 것은 그 어떤 것도 영원의 필연성 그 자체를 부정할 수 없다는 것을 뜻합니다.

그러므로 단 하나의 실체로서 '영원무한의 생명과 사랑'이 존재합니다. 이 존재로부터 자연 안에 존재하는 모든 것은 자신의 존재로 영원무한의 생명과 사랑을 증명하며, 그러한 한에서 萬物로 구성된 자연은 그 자체가 영원무한의 생명과 사랑입니다. 단 하나로 존재하는 영원무한의 생명과 사랑 안에서 무한한 방식으로 무한한 몸 각각이 영원무한의 생명과 사랑으로 존재합니다. 지금 나의 몸이 영원무한의 생명과 사랑으로 존재하며, 지금 나의 몸으로 만나는 모든 몸

이 영원무한의 생명과 사랑으로 존재합니다. 우리가 이 사실을 이해하면, 자연의 진실은 '장엄천지'입니다.

2. 지금 내 몸의 眞實
_{진 실}

지금 내 몸의 진실이 영원무한의 생명과 사랑 그 자체인 태극(太極)이라는 사실은 다음의 인용에 근거하여 분명합니다.

> [1-5-1-3 『완역 성리대전』]
> 問: 太極圖
> 曰: 以人身言之, 呼吸之氣便是陰陽, 軀體血肉便是五行, 其性便是理.
> 『태극도』를 물었다.
> (주자가) 답했다. "사람의 몸을 가지고 말하면, 호흡하는 기는 바로 음양이고, 몸통과 혈육은 바로 오행이고, 그 성은 바로 리이다."

여기에서 가장 중요한 것은 "以人身言之"입니다. 태극을 이해하는 기초가 '몸'(身)이라는 사실을 확인할 수 있습니다. 음양과 오행도 몸을 설명하는 것입니다. 그런데 성(性)은 리(理)입니다. 여기에서 성(性)은 당연히 몸의 본성입니다. 이로부터 『태극도설』(太極圖說)의 순수지선 또는 태극은 지금 우리 자신의 몸에 고유한 본성이라는 것을 알 수 있습니다. 더 나아가 몸으로 존재하는 모든 것은 절대적으로 영원의 필연성 안에서 태극의 순수지선(純粹至善)을 본성으로 갖습니다. 이 말은 그 어떤 것도 자기 존재의 純粹至善에 관하여 우연성이나 가능성으로 존재하지 않는다는 뜻입니다.

모든 몸은 자기 본성인 太極을 따라서 생겨나고 활동하기 때문에 절대적으로 태극 안에 존재합니다. 몸은 우주(자연) 안에서 무한한 방식으로 무한하게 생겨나고 활동합니다. 그러나 그 어떤 몸도 자기 몸에 고유한 본성을 어기며 존재하지 않습니다. 왜냐하면 몸의 생김 자체가 본성의 필연성 안에 있기 때문입니다. 무엇보다도 이 사실을 지금 우리 자신의 몸에 근거하여 이해하는 것이 가장 중요합니다. '부모 없이 태어난 사람은 절대적으로 없다.'는 사실이 본성의 필연성을 최고의 완전성으로 증명합니다. 이것을 주돈이는 무극지진(無極之眞)이라 합니다. 모든 몸은 이 진실 안에 존재합니다.

[1-5-1-7 『완역 성리대전』]

先有理後有氣, 先有氣後有理, 皆不可得而推究. 以意度之, 則疑此氣是依傍這理行. 及此氣之聚, 則理亦在焉. 蓋氣則能凝造作, 理却是無情意, 無計度, 無造作. 即此氣凝聚處, 理便在其中.

(주자가 말했다.) "먼저 리가 있는 뒤에 기가 있는지, 먼저 기가 있은 뒤에 리가 있는지 끝까지 밝힐 수는 없다. 추측하건대 아마도 이 기는 이 리에 기대어 가는 것 같다. 이 기가 모이게 되면 리도 여기에 있다. 대개 기는 엉겨 모이고 작위 할 수 있지만, 리는 도리어 감정도 없고, 생각도 없고, 작위도 없다. 이 기가 엉겨 모인 곳에 리가 바로 그 속에 있다."

주자는 "먼저 리가 있는 뒤에 기가 있는지, 먼저 기가 있은 뒤에 리가 있는지 끝까지 밝힐 수는 없다."라고 말합니다. 그러나 이 말에 이어서

"추측하건대 아마도 이 기는 이 리에 기대어 가는 것 같다."라고 말합니다. 이 주제는 기하학으로 쉽게 이해할 수 있습니다. 우리가 삼각형의 본성을 이해할 때 가장 좋은 방법은 지금 우리 눈앞에 있는 삼각형의 몸에 나아가 그에 고유한 본성으로서 '세 개의 내각과 그 총합은 180도'를 확인하는 것입니다. 이 경우 삼각형의 본성이 먼저 있는 것인지, 삼각형의 몸이 먼저 있는 것인지 쉽게 판단하기 어렵습니다.

그러나 지금 우리 자신의 몸에 나아가 엄마아빠의 존재를 확인할 때, 엄마아빠의 존재가 우리 자신의 존재에 앞선다는 것은 인과의 필연성에 근거하여 지극히 당연합니다. 존재에 고유한 이 필연성을 계속해서 확인하면, 결국 엄마아빠의 존재는 영원의 필연성으로 명백합니다. 이 본성으로부터 내 몸에 앞서는 엄마아빠의 존재가 영원무한으로 존재하며, 이 존재로부터 지금 내 몸이 영원의 필연성으로 존재하고 있다는 사실은 기하학적 질서의 필연성처럼 단 하나의 영원무한입니다. 그렇기 때문에 우리가 몸의 본성을 이해하면, 본성(理)으로부터 모든 몸이 무한히 생겨난다는 것을 알 수 있고, 이 사실로부터 몸의 놀이 또한 본성의 필연성을 따른다는 것은 당연합니다.

다음으로 위의 인용에서 중요한 또 다른 논점은 "리는 도리어 감정도 없고, 생각도 없고, 작위도 없다."는 것입니다. 여기에서 말하는 '감정' '생각' '작위'는 몸으로 살아가는 우리의 현실에 대한 것입니다. 우리 모두는 각자 자신만의 감정을 느끼며 그에 대한 생각을 통해서 감정을 이해하고, 최종적으로 행동을 결정합니다. 주자에 의하면 리(理)에는 이런 것이 없다고 합니다. 이렇게 말할 수 있는 근거는 理는 감정과 생각 그리고 작위와 무관하기 때문이 아니라 그 모든 것에 고유한 본성의 필연성으로 존재하기 때문입니다. 우리가 느끼는 무한한 감정은 그 각각에 고유한 본성의 필연성인 太極을 따라서 존재합니다. 생각은 이 사실을 이해하는 것이며, 작위는 이 이해에 따른 행동입니다.

그러므로 성리학(性理學)의 핵심을 이해하는 방법은 지금 우리 자신의 몸입니다. 지금 '나'의 몸이 존재하기 위해서는 엄마아빠의 몸이 존재해야 합니다. 엄마아빠의 몸에 의해서 지금 나의 몸이 존재합니다. 엄마아빠의 몸도 당연히 그에 앞서는 엄마아빠의 몸에 의해서 존재합니다. 엄마아빠의 몸이 존재한다는 사실은 음양오행(陰陽五行)의 기(氣)입니다. 진실로 엄마아빠의 몸이 존재합니다. 그러나 이 존재는 영원의 필연성 그 자체이기 때문에 단 하나의 실체이며 자기원인입니다. 그러한 한에서 엄마아빠의 몸은 순수지선이며 최고의 완전성 그 자체입니다. 이 존재에 의해서 지금 '나'의 몸이 존재합니다. 따라서 나의 몸도 순수지선이며 최고의 완전성입니다.

3. 내 몸 안에 있는 父母
            부모

지금 '나'의 몸에서 엄마아빠의 존재를 본성의 필연성으로 확인하는 것은 『태극도설』에서도 분명합니다. 주자도 이 사실을 다음과 같이 확인합니다.

[1-5-1-14 『완역 성리대전』]

　天地之初如何討箇種?　自是氣蒸結成兩箇人,　後方生許多物事.　所以先說
‘乾道成男,坤道成女’,　後方說‘化生萬物當’.　初若無那兩箇人,如今如何有許多
人?　那兩箇人便似而今人身上蝨,自然變化出來.

　(주자가 말했다.) "하늘과 땅의 처음에 어떻게 종자를 찾는가? 본래
기가 응결하여 두 사람을 이룬 다음 비로소 많은 물건을 생한다. 그러므
로 먼저 '건도는 남성을 이루고 곤도는 여성을 이룬다.'고 말한 다음 비
로소 '만물을 화생한다.'고 말한다. 당초에 그 두 사람이 없었다면 지금
어떻게 많은 사람이 있겠는가? 그 두 사람은 마치 지금 사람의 몸에 있
는 이처럼 자연히 변화해 나왔다."

　"본래 기가 응결하여 두 사람을 이룬 다음 비로소 많은 물건을 생한다."
라고 했습니다. 이 두 사람은 "건도는 남성을 이루고 곤도는 여성을 이
룬다."에서 확인할 수 있듯이 남성과 여성입니다. 그런데 이 남성과
여성으로부터 "만물을 화생한다.'라고 이해한다면, 이때의 만물을 지
금 우리 자신의 몸으로 이해하는 한에서 남성과 여성은 아빠와 엄마
입니다. 엄마도 몸으로 존재하고 아빠도 몸으로 존재합니다. 그리고
이 두 몸은 반드시 서로 사랑해야 합니다. 이 사실은 지금 우리 자
신의 몸에 대한 우리 자신의 생각 안에서 명명백백한 영원의 필연성
입니다. 엄마와 아빠가 몸으로 존재하며 서로 다른 두 몸은 사랑을
해야 합니다. 이것은 양변음합(陽變陰合)의 동정(動靜)으로서 기(氣)입
니다. 그러나 이 진실은 영원의 필연성입니다. 이것은 리(理)입니다.

　리와 기로 존재하지 않는 것은 없습니다. 자연 또는 우주 안에
몸으로 존재하는 모든 것은 리와 기로 존재합니다.

[1-5-1-22 『완역 성리대전』]

西山真氏曰: '萬物各具一理, 萬理同出一原.' 所謂萬里一原者, 太極也. 太極者, 乃萬理總會之名. 有理即有氣, 分而二則為陰陽. 分而五則為五行. 萬事萬物皆原於此. 人與物得之則為性. 性者, 即太極也, 仁義, 即陰陽, 仁義禮智信, 即五行也. '萬物各具一理', 是物物一太極也. '萬理同出一原', 是萬物統體一太極也.

서산 진씨가 말했다. "'만물이 각각 하나의 리를 갖추고 있다. 만 가지 리가 똑같이 한 근원에서 나왔다.'에서 이른바 '만 개의 리가 하나의 근원'이라 하는 것은 태극이다. 태극은 곧 만 개의 리를 모두 모은 이름이다. 리가 있으면 곧 기가 있다. 나뉘어 둘이 되면 음양이 되고, 나뉘어 다섯이 되면 오행이 된다. 만사만물이 다 여기에 근원한다. 사람과 물건이 이를 얻으면 성이 된다. 성은 곧 태극이고, 인의는 곧 음양이고, 인의예지신은 곧 오행이다. '만물이 각각 하나의 리를 갖추고 있다.'는 것은 물건마다 태극을 하나씩 지닌 것이다. '만 가지 리가 똑같이 한 근원에서 나왔다.'는 것은 만물이 통째로 하나의 태극이라는 것이다."

모든 것은 리와 기로 존재하기 때문에 그 존재 자체가 영원의 필연성 안에 있습니다. 기(氣)에서 보면 무한하지만, 리(理)에서 보면 단 하나의 영원성이 존재합니다. 그렇기 때문에 모든 것이 각각 리와 기이며, 동시에 모든 것은 단 하나의 리와 기 안에 존재합니다. 이 사실을 "'만물이 각각 하나의 리를 갖추고 있다.'는 것은 물건마다 태극을 하나씩 지닌 것이다. '만 가지 리가 똑같이 한 근원에서 나왔다.'는 것은 만물이 통째로 하나의 태극이라는 것이다."라고 확인했습니다.

이 사실을 우리 몸에 근거하여 이해하면, 결국 엄마아빠의 존재 이외 절대적으로 없습니다.

[1-5-23 『완역 성리대전』]

平巖葉氏曰: 繫辭'天地絪縕, 萬化化醇', 氣化也. '男女搆精, 萬物化生', 形化也. 圖說葢本諸此

평암 섭씨가 말했다. "「계사」에 '하늘과 땅이 꼭 붙어서 사귀니 만물이 변화하여 엉긴다.'는 것은 기화이고, '남성과 여성이 정기를 교합함에 만물이 화생한다.'는 형화이다. 『태극도설』은 대개 여기에 근본을 두었다."

그러므로 우리 자신의 존재를 영원무한의 필연성으로 이해하는 것이 성리학의 핵심입니다. 성리학은 지금 우리 자신의 몸이 영원무한의 필연성 안에서 영원무한의 생명과 사랑으로 생겨났다는 사실을 우리에게 가르쳐줍니다. 이 인식으로부터 우리는 우리 자신을 비롯해서 자연의 모든 것이 존재 그 자체로 순수지선으로 존재한다는 사실을 이해합니다. 그리고 이 이해는 모든 몸의 모든 변화가 순수지선 안에 있다는 사실을 영원의 필연성으로 확인합니다. 순수지선으로 생겨난 몸이라면, 그 몸의 변화 또한 순수지선 안에 존재한다는 사실은 영원의 필연성이기 때문입니다.

3부 太極圖說의 後驗分析
태극도설 후험분석

1장. '惟人最靈'에 관하여

惟人也, 得其秀而最靈. 形旣生矣, 神發知矣. 五性感動, 而善惡分, 萬事
出矣.

1. 感情으로 살아가는 後驗綜合

우리는 감정을 느끼며 이해합니다. 이 이해에 기초하여 의사를
결정하고 그것을 실행에 옮깁니다. 그런데 감정으로 살아가는 우리의
삶을 돌이켜보면 행복할 때도 있고 불행할 때도 있습니다. 또는 감
정에 대한 자신의 이해를 뉘우치거나 후회할 때도 있습니다. 더 나
아가 우리가 느끼는 감정에 대한 이해에 근거하여 우리 자신과 세상
사람들 그리고 자연의 모든 것을 선악(善惡)으로 판단합니다. 급기야
악(惡)으로 간주된 모든 것을 불행의 원인으로 지목합니다. 그 결과
욕망은 자기의 행복을 추구하기 위해서 그 악을 제거하기로 결정합
니다. '전쟁'의 서막입니다.

행복을 추구하는 욕망이 뜻밖에 전쟁의 비극을 불러일으킨다는
결론은 우리를 매우 당혹하게 합니다. 전쟁의 비극을 당연한 것으로
인정해야 하는 것일까요? 아니면 우리에게 욕망은 억제와 극복의 대
상일까요? 극단적으로 말해서 감정을 느끼는 것이 모든 비극의 원인

일까요? 그러나 우리는 몸으로 생겨나서 몸으로 살아갑니다. 이 진리를 인정하는 한에서 감정이나 욕망을 비극의 원인에 두는 것은 매우 잘못된 것입니다. 왜냐하면 만약 우리가 이것을 긍정하면 행복을 추구하는 욕망은 자신의 행복을 위해서 자신의 존재를 부정해야 하는 터무니없는 결과를 초래하기 때문입니다. 그렇다면 결국 우리는 악(惡)의 존재를 인정하고 그것과의 전쟁을 인정해야 할까요?

이 질문의 답은 이미 우리에게 주어져 있습니다. 지금까지 논의한 『태극도』(太極圖)와 『태극도설』(太極圖說)이 문제의 답입니다. 몸으로 존재하는 모든 것은 순수지선 그 자체인 태극(太極)에 의해서 생겨나고 활동하도록 영원의 필연성으로 결정되어 있습니다. 몸으로 존재하는 것은 절대적으로 이 진실 안에 존재합니다. 이 진실은 인간의 마음이 자기 몸에 나아가 그에 고유한 본성의 필연성을 인식함으로써 자연의 모든 몸을 그와 같은 방식으로 이해한 결과 형성한 것입니다. 이 진실이 우리의 마음 안에서 분명한 이상, 우리의 몸이 자신 및 다른 몸에 대해서 선악(善惡)의 감정을 느낄 때 이 감정에 대한 올바른 이해가 무엇인지 알 수 있습니다.

무엇보다도 자연을 구성하는 무한한 몸은 영원의 필연성으로 순수지선 안에 존재합니다. 그렇기 때문에 우리가 어떤 몸('나' 자신의 몸을 포함)에 대해서 불선(不善)이나 악(惡)의 감정을 느끼게 된다면, 그 즉시 우리는 순수지선의 몸이 무슨 이유로 우리에게 不善이나 惡으로 느껴지게 되는지 그 필연성을 반드시 묻고 배워야 합니다. 그리고 이 배움의 결과는 이미 영원의 필연성으로 결정되어 있습니다. 배움의 결과는 '순수지선'을 확인합니다. 왜냐하면 모든 몸과 그것의 변화로서 감정은 절대적으로 순수지선 안에 존재하기 때문입니다. 오직 이 이유로 배움의 공효는 최고의 행복입니다. 不善이나 惡이 순수 지선으로 존재한다는 사실을 확인하면, 이 이상 기쁨은 없습니다.

인간의 아름다움 또는 성스러움은 여기에 있습니다. 자연 안에서 만물(萬物)은 각자 자신의 몸에 근거하여 자연의 모든 몸을 선악(善惡)으로 판단합니다. 그러나 오직 인간만은 자신의 몸을 비롯해서 자연의 모든 몸이 영원의 필연성 안에서 순수지선으로 존재하고 있다는 사실을 이해합니다. 어떤 것에 대해서 善惡의 감정을 느낄 때, 인간은 그 감정에 기초하여 그것의 善惡을 순수지선으로 이해합니다. 그렇기 때문에 우리 인간이 이 이해를 형성하며 살아가면 절대적으로 전쟁의 비극은 없습니다. 이 사실을 분명하게 이해하지 못하는 한에서 인간은 필연적으로 자신과 다른 인간 및 자연의 만물과 전쟁을 하게 되어 있습니다.

배움이 소중하고 성스러운 이유는 바로 여기에 있습니다. 성리학(性理學)은 모든 존재의 순수지선을 확인함으로써 순수지선의 행복을 영원성으로 누리는 학문론입니다. 이런 학문론이 우리에게 문화유산으로 남겨져 있다면, 행복을 추구하는 욕망에 근거하여 우리가 성리학을 최고의 행복으로 추구하는 것은 지극히 당연합니다. 반대로 우리가 性理學을 연마하지 않는다면, 우리는 참된 행복을 누릴 수 없다는 것을 뜻합니다. 참된 행복을 누릴 수 있는 방법이 있는데, 이것을 부정하거나 멀리한다면 이것처럼 안타까운 비극이 없습니다. 주자는 다음과 같이 말합니다.

[1-6-1 『안역 성리대전』]
此言衆人具動靜之理, 而常失之於動也. 蓋人物之生, 莫不有太極之道焉.

然陰陽五行氣質交運, 而人之所禀獨得其秀. 故其心爲最靈而有以不失其性之
全, 所謂天地之心而人之極也. 然形生於陰, 神發於陽, 五常之性感物而動, 而
陽善陰惡, 又以類分, 而五性之殊, 散爲萬事. 蓋二氣五行, 化生萬物, 其在人
者又如此. 自非聖人全體太極有以定之, 則欲動情勝, 利害相攻, 人極不立, 而
違禽獸不遠矣.

　　이것은 뭇사람이 동정의 리를 갖추었으나 항상 동하는 데서의 잘못
을 말하였다. 대개 사람과 만물이 남에 태극의 도가 있지 않음이 없다.
그러나 음양오행의 기와 질이 사귀며 교류할 때, 사람이 받은 것이 홀로
빼어나다. 그러므로 그 마음이 가장 허령하여 그 성의 완전함을 잃지 않
을 수 있으니, 이른바 '천지의 마음'이고 '사람의 극'이다. 그러나 형체
는 음에서 생기고 정신은 양에서 발동하니, 오상의 성이 외물을 느끼고
움직여서 양은 선하고 음은 악한 것이 또 그 부류별로 나뉘며, 오성의
다름이 흩어져 만사가 된다. 대개 두 기와 오행이 만물을 화생하는 것은
사람에게 있어서도 마찬가지이다. 성인이 태극 전체를 확정해 놓지 않으
면, '물욕이 움직이고 인정이 이기며 이익과 손해가 서로 다투어' 인극
은 서지 않고 금수와도 멀지 않을 것이다.

　　위의 인용을 글의 흐름대로 살펴보도록 하겠습니다. "이것은 뭇사
람이 동정의 리를 갖추었으나 항상 동하는 데서의 잘못을 말하였다."는 것
은 생겨난 몸으로 살아가는 몸의 놀이, 즉 감정으로 살아가는 우리
의 현실을 뜻합니다. 우리가 우리 자신의 몸이나 어떤 외부 사물에
대해서 감정을 느낀다는 것은 결국 '좋다'(善) 또는 '싫다'(惡)입니다.
이 두 가지 감정 이외 다른 것으로 수렴하지 않습니다. 그런데 문제
는 '싫음'(惡)의 감정을 느낄 때입니다. 어떤 것에 대해서 싫다는 감
정을 느끼는 즉시, 우리는 그것을 '악'(惡)으로 규정함과 동시에 그것

을 제거하거나 없애려고 합니다. 이것이 '동하는 데서의 잘못'입니다. 왜냐하면 우리의 감정과 별개로 존재하는 것은 그 자체로 순수지선의 태극에 의해서 존재하도록 결정되었기 때문입니다.

이 사실을 위의 인용에서 확인할 수 있습니다. "대개 사람과 만물이 남에 태극의 도가 있지 않음이 없다."라고 했습니다. 모든 것은 영원무한의 생명과 사랑 또는 순수지선의 완전성을 뜻하는 태극에 의해서 생겨났다고 합니다. 우리 자신의 몸에 대해서 우리 자신의 마음이 형성하는 자기 이해의 자명에 근거하여 몸의 생김에 고유한 본성의 필연성을 우리가 인식하면, 우리의 몸을 존재하게 한 것은 영원무한의 생명과 사랑입니다. 모든 몸도 자기 존재에 관하여 본성의 필연성을 따르기 때문에 그러한 한에서 영원무한의 생명과 사랑이 낳은 것입니다. 영원의 필연성에 의해서 생겨난 것이라면, 당연히 자신의 활동(놀이)도 생김의 필연성을 따르지 않을 수 없습니다.

이렇게 생겨난 것은 태극의 존재를 자신만의 특정한 방법으로 증명합니다. 그리고 이 증명은 무한한 방식으로 무한하게 이루어집니다. 이 사실로부터 양태의 무한성은 지극히 당연한 것입니다. 즉, 영원무한의 필연성 안에서 영원무한의 생명과 사랑은 무한한 방식으로 무한하게 자연의 모든 몸을 낳습니다. 이렇게 생겨난 몸은 자연의 무한한 몸과의 관계에서 특정 '양태'(樣態)로서 교차합니다. 이 사실을 "그러나 음양오행의 기와 질이 사귀며 교류할 때"라고 합니다. 영원무한의 생명과 사랑 안에서 무한히 생겨난 것은 자신과 다른 방식으로 생겨난 몸과 교차합니다. 그러나 사람의 마음은 이미 우리가 충분히 다루었듯이 노는 것을 본성의 필연성으로 이해합니다. "사람이 받은 것이 홀로 빼어나다."라고 말한 이유입니다.

마음의 진실을 밝히면, "그러므로 그 마음이 가장 허령하여 그 성의 완전함을 잃지 않을 수 있으니, 이른바 '천지의 마음'이고 '사람의 극'이다." 라고 말하는 것은 지극히 당연합니다. 이 지점에서 우리는 학문의 핵심이 무엇인지 알 수 있습니다. 생겨난 몸은 자기의 본성 안에서 자연의 모든 몸과 교차하면서 좋음(善)과 싫음(惡)의 감정을 느끼며 그것으로 존재합니다. 마음은 그에 대한 관념을 형성함으로써 자신의 몸과 감정 및 자기 몸이 교차하는 자연의 몸을 이해합니다. 마음이 오직 이것으로 자신과 자신의 몸 그리고 자연의 몸을 이해할 때, 바로 이 지점에서 인식의 오류를 범합니다. 마음이 뜻밖에 '좋은 것'으로 생겨난 것과 '나쁜 것'으로 생겨난 것이 자연 안에 존재한다는 잘못된 생각을 하게 됩니다.

그러나 마음은 자신이 형성한 감정에 근거하여 자신의 본성과 그 대상으로서 자연의 몸을 순수지선으로 이해하는 능력을 본래부터 가지고 있습니다. 이 능력을 본래부터 가지고 있음에도 불구하고 마음이 자신의 기능을 잘 돌보지 않으면 그 즉시 몸의 감정에 종속되어 자기 본래의 기능을 상실합니다. 몸은 오직 자기 몸에 고유한 본성을 따라서 변화하며 그 결과 구체적인 감정으로 존재합니다. 이 진실을 음(陰)이라 합니다. 한편, 마음(정신)도 자신의 생각으로 그에 대한 개념을 구체적으로 형성합니다. 그러나 마음(정신)은 자신이 형성한 개념(감정) 및 그 개념에 기초하여 자기 몸과 외부의 몸에 대해서도 그 자체에 고유한 본성으로 이해하는 능력을 가지고 있습니다. 이 능력을 양(陽)이라 합니다.

이러한 관점에서 음양(陰陽)에서 음(陰)은 몸(陰)의 진실이며 陽은 마음(陽)의 진실입니다. 이 사실을 "그러나 형체는 음에서 생기고 정신은 양에서 발동하니, 오상의 성이 외물을 느끼고 움직여서 양은 선하고 음은 악한 것이 또 그 부류별로 나뉘며, 오성의 다름이 흩어져 만사가 된다."라고 확인합니다. 이처럼 몸은 자기 본성을 따라서 변화하며 마음도 그와 동시에 변화합니다. 그러나 마음을 陽이라고 부르는 이유는 마음은 자기이해를 통해서 자신의 감정과 몸 및 감정으로 느끼는 자연의 모든 몸을 그 자체에 고유한 본성, 즉 太極으로 이해하는 적극적이며 능동적인 능력을 가지고 있기 때문입니다. 이 능력이 분명할 때 마음은 자신의 감정과 몸 그리고 자연의 모든 몸을 순수지선으로 이해하며 지킬 수 있습니다.

이 진실을 다음과 같이 확인합니다.

> 대개 두 기와 오행이 만물을 화생하는 것은 사람에게 있어서도 마찬가지이다. 성인이 태극 전체를 확정해 놓지 않으면, '물욕이 움직이고 인정이 이기며 이익과 손해가 서로 다투어' 인극은 서지 않고 금수와도 멀지 않을 것이다.

우리가 감정을 느끼지 못한다면, 그 어떤 일도 발생하지 않습니다. 우리는 감정을 느끼며 그에 대한 이해를 형성함으로써 모든 일을 계획함과 동시에 그것으로 실행으로 옮깁니다. 문제는 감정에 대한 타당한 인식이 명확하지 않으면 不善과 惡이 존재한다는 잘못된 생각에 흐르게 되며, 종국에는 不善과 惡으로 간주된 것을 없애려는 잘못을 범하게 됩니다. 그러나 감정에 대한 타당한 이해를 형성하면, 그 즉시 우리는 전쟁의 잘못을 하지 않습니다 "성인이 태극 전체를 확정해 놓지 않으면, '물욕이 움직이고 인정이 이기며 이익과 손해가 서로 다투어' 인극은 서지 않고 금수와도 멀지 않을 것이다."라고 말한 이유입니다.

이 문제는 아래에 제시된 인용에서도 확인할 수 있습니다.

[1-6-1-2 『완역 성리대전』]

問: 自太極一動而爲陰陽, 以至於爲五行, 爲萬物, 無有不善. 在人則纔動便差, 是如何?

曰: 造化亦有差處. 如冬熱夏寒, 所生人有厚薄, 有善惡. 不知自甚處差將來, 便沒理會了.

물었다. "태극이 한 번 동하여 음양이 되고, 오행이 되고 만물이 되기까지 선하지 않은 것은 없습니다. 사람은 겨우 동하자마자 바로 어긋나니, 이것은 어째서입니까?

(주자가) 답했다. "조화에도 역시 어긋나는 곳이 있다. 예를 들면 겨울에 덥고 여름에 추우며, 그 (천지가) 생한 사람과 만물에 후덕함과 박덕함이 있고, 선함과 악함이 있다. 어디서부터 어긋났는지 뚜렷하지 않아서 알지 못하겠다."

"사람은 겨우 동하자마자 바로 어긋나니, 이것은 어째서입니까?"라는 질문은 감정을 느끼며 동시에 감정으로 살아가는 사람이 잘못을 하는 이유가 무엇인지 묻는 것입니다. 이에 대한 대답으로 주자는 "어디서부터 어긋났는지 뚜렷하지 않아서 알지 못하겠다."라고 말합니다. 이는 지극히 당연한 것인데, 왜냐하면 감정을 느끼며 살아가는 사람이 잘못을 할 이유가 전혀 없기 때문입니다. 자연을 구성하는 몸은 무한한 방식으로 무한합니다. 이 모든 몸은 영원무한의 생명과 사랑으로 존재하는 太極에 의해서 생겨났습니다. 그러나 몸 각각을 보면 서로가 완전히 다른 몸입니다. 이는 몸의 무한성으로부터 지극히 당연한 것입니다. 무한한 몸이 존재한다는 것은 그 어떤 몸도 자연 안에서 단 하나로 존재할 뿐 자신과 동일한 몸은 자연 안에 절대적으로 존재하지 않는다는 것을 뜻합니다.

서로 무한히 다른 몸이 자연 안에서 무한히 교차합니다. 그렇기 때문에 자연의 모든 몸은 자신과 다른 몸과의 교차를 통해서 변화를 겪으며 그로부터 좋음(善)과 싫음(惡)의 감정을 느낍니다. 이 감정으로부터 좋음을 느끼는 감정은 자신과 그 대상을 소유하려고 하며, 그 반대로 싫음을 느끼는 감정은 자신과 그 대상을 부정하려고 합니다. 이때 마음이 자신의 감정 및 그 대상에 대해서 생김에 고유한 본성의 필연성을 이해하지 않으면, 이에 근거하여 마음이 소유 또는 부정을 결정하고 실행에 옮기는 것은 필연적입니다. 그렇기 때문에 필연성에서 보면 소유와 부정도 순수지선 안에 존재합니다. 이 사실로부터 잘못된 것은 본래 없습니다.

이 사실을 우리가 분명히 할 때, 잘못의 원인을 분명하게 제시할 수 있습니다. 엄밀히 말해서 몸 또는 몸의 변화로서 감정은 절대 잘못을 하지 않습니다. 오직 인간의 마음만이 몸의 생김에 고유한 본성에 근거하여 몸의 변화인 감정에 고유한 본성의 필연성을 인식함으로써 몸과 감정을 순수지선으로 이해하기 때문에, 오직 이 사실에 근거하여 인간의 잘못을 말할 뿐입니다. 이 대목이 인간과 동물이 근본적으로 다른 점입니다. 인간은 싫다는 것에 대해서 그것의 본성을 인식함으로써 사랑을 확인하고 증진합니다. 반면, 동물은 싫다는 것에 대해서 반드시 씨움을 함으로써 존재를 부정하려고 합니다. 그렇기 때문에 전쟁하는 인간을 두고 우리는 잘못을 말하지만, 전쟁하

는 동물에 대해서는 그것을 자연으로 이해합니다.

앞에서 제시한 인용의 같은 곳에서 다음과 같이 대화가 이어집니다.

[1-6-1-2 『완역 성리대전』]
又問: 惟人纔動便有差, 故聖人主靜以立人極歟?
曰: 然
또 물었다. "오직 사람은 겨우 움직이자마자 바로 어긋나는 바가 있으니 성인이 '가만있는 것을 위주'로 하여 인극을 세웠습니까?"
(주자가) 답했다. "그렇다."

"성인이 '가만있는 것을 위주'로 하여 인극을 세웠습니까?"라는 질문은 몸의 본성 및 몸의 변화로서 감정의 본성을 인간의 마음이 반드시 이해해야 한다는 사실을 확인합니다. 마음은 자신의 몸 또는 자신의 몸이 느끼는 감정을 떠나서 별도로 존재하지 않습니다. 보다 더 현실적으로 말하자면 몸의 변화인 감정에 대한 관념을 형성함으로써 마음은 자기 존재 및 자기 몸의 존재에 대해서 자각합니다. 그렇기 때문에 몸으로 살아간다는 것은 감정을 느끼며 살아가는 후험(後驗)입니다. 문제는 후험에서 우리는 불행과 비극을 경험한다는 것입니다. 이 문제를 해결하기 위해서 『태극도』(太極圖)와 『태극도설』(太極圖說)은 후험에서도 太極의 진실을 배워야 한다고 강조합니다.

그러므로 우리는 『太極圖』에 대한 설명으로서 『太極圖說』이 지향하는 논점이 무엇인지 알 수 있습니다. 몸은 영원의 필연성 안에서 영원무한의 생명과 사랑에 의해서 존재하도록 결정되어 있습니다. 몸의 생김에 고유한 본성의 필연성입니다. 이 사실이 중요한 이유는 이때 비로소 몸의 놀이로서 감정의 진실이 무엇인지 명백하게 이해할 수 있기 때문입니다. 몸-생김의 진실이 영원의 필연성 안에서 생명과 사랑이라면 몸의 놀이로서 감정의 진실 또한 영원의 필연성 안에서 생명과 사랑입니다. 이 진실로부터 우리가 느끼는 감정의 진실 및 우리의 감정으로 이해하는 외부 사물에 대한 타당한 인식이 무엇인지 분명합니다. 무한한 감정이 후험종합(後驗綜合)입니다.

2. 後驗綜合으로서 感情의 완전성

감정은 우리가 몸으로 살아가기 때문에 느낄 수 있는 것입니다. 이 사실에 근거하여 보면, 감정은 몸-생김의 선험(先驗)이 아니라 몸-놀이의 후험(後驗)입니다. 그리고 감정에 대한 우리의 경험은 무한성 그 자체이기 때문에 우리에게는 무한한 현상으로 지각됩니다. 우리가 감정의 장르를 '후험종합'(後驗綜合)으로 정의하는 이유입니다. 그러나 반드시 우리는 다음의 두 가지 논점을 명백하게 이해해야 합니다. 첫째, 후험은 '선험의 후험'입니다. 둘째, 선험의 본성은 당연히 후험에도 존재합니다. 이 두 가지 논점에 기초하여, 우리가 선험 그 자체에 고유한 본성으로서 태극의 존재 및 그에 고유한 본성을 이해하는 한에서 이 진실은 당연히 후험에도 존재합니다.

이 진실을 감정과학은 '선험분석의 후험분석'으로 요약합니다. 후험은 무한한 현상으로 지각되기 때문에 종합이지만, 후험종합은 선험 그 자체의 본성으로서 분석의 진실을 자기 본성의 필연성으로 갖습니다. 후험종합을 초월하여 후험분석이 존재하는 것이 아니라 무한한 방식으로 무한한 후험종합에 고유한 본성의 필연성으로 태극이 존재한다는 사실이 후험분석입니다. 선험분석 안에서 몸-생김의 무한성이 영원의 필연성 안에서 순수지선의 완전성인 것과 같이, 우리가 선험분석으로부터 필연적인 후험분석을 이해하는 한에서 후험종합의 감정은 후험분석 안에서 영원의 필연성으로 순수지선입니다.

이러한 이해를 주자도 다음과 같이 확인합니다.

[1-6-1-4 『완역 성리대전』]

問: 先生云'論萬物之一原, 則理同而氣異. 觀萬物之異體, 則氣猶相近而理絶不同.'

曰: 氣相近, 如知寒知煖, 識飢識飽, 好生惡死, 趨則避害, 人與物都一般. 理不同, 如蜂蟻之君臣, 只是他義上有一點子明. 虎狼之父子, 只是他仁上有一點子明. 其他便推不去

물었다. "선생이 이르기를, '만물의 하나의 근원을 논하면 리는 같고 기는 다르다. 만물의 다른 모양을 보면 기는 오히려 가까우나 리는 전혀 다르다.'고 하였습니다."

(주자가) 답했다. "기가 서로 가까움은, 예를 들면 추위를 알고 더위를 알고, 배고픔을 알고 배부름을 알고, 삶을 좋아하고 죽음을 싫어하고, 이익을 쫓고 손해를 피하는 것들이니, 사람과 물건이 모두 마찬가지이다. 리가 같지 않음은, 예를 들면 벌이나 개미의 군신관계는 단지 그 의에만 조금 밝음이 있고, 호랑이나 이리의 부자관계는 단지 그 인에만 조금 밝음이 있다. 그 밖에는 더 이상 추구하지 못한다."

"만물의 하나의 근원을 논하면 리는 같고 기는 다르다."라는 것은 영원의 필연성 그 자체인 분석 안에서 종합의 무한성입니다. 즉, 자기 원인으로 존재하는 단 하나의 실체로서 태극(純粹至善) 안에서 무한한 방식으로 무한하게 몸이 생겨나고 동시에 몸의 변화로서 감정이 무한하게 생겨난다는 것을 뜻합니다. 다음으로 "만물의 다른 모양을 보면 기는 오히려 가까우나 리는 전혀 다르다."는 것은 단 하나의 太極에 의해서 생겨난 몸이기 때문에 생겨난 몸에 고유한 본성이 비슷하다는 것을 뜻합니다. 리가 다르다는 것은 그 각각의 몸에 고유한 본성의 필연성으로 리가 존재하기 때문입니다.

위의 인용에서 주자의 대답을 다시 보겠습니다.

> (주자가) 답했다. "기가 서로 가까움은, 예를 들면 추위를 알고 더위를 알고, 배고픔을 알고 배부름을 알고, 삶을 좋아하고 죽음을 싫어하고, 이익을 쫓고 손해를 피하는 것들이니, 사람과 물건이 모두 마찬가지이다. 리가 같지 않음은, 예를 들면 벌이나 개미의 군신관계는 단지 그 의에만 조금 밝음이 있고, 호랑이나 이리의 부자관계는 단지 그 인에만 조금 밝음이 있다. 그 밖에는 더 이상 추구하지 못한다."

몸은 영원무한의 생명과 사랑으로 생겨난 것이므로 자기 존재를 유지하기 위해서 최선의 노력을 합니다. 몸의 본능입니다. "기가 서로 가까움은, 예를 들면 추위를 알고 더위를 알고, 배고픔을 알고 배부름을 알고, 삶을 좋아하고 죽음을 싫어하고, 이익을 쫓고 손해를 피하는 것"이라고 주자가 말했습니다. "벌이나 개미의 군신관계는 단지 그 의에만 조금 밝음이 있고, 호랑이나 이리의 부자관계는 단지 그 인에만 조금 밝음이 있다. 그 밖에는 더 이상 추구하지 못한다."라고 말한 까닭은 자연을 구성하는 몸에 고유한 본성이 서로 다르다는 뜻입니다. 이 사실은 다음의 인용에 근거하여 확인할 수 있습니다.

[1-6-1-5 『완역 성리대전』]
曰: 惟其所受之氣只有許多, 故其理亦只有許多. 如犬馬形氣如此, 故只會得如此事.
又問: 物物各一太極, 則是理無不全也.
曰: 以理言之則無不全, 以氣言之則不能無偏.

(주자가) 답했다. "오직 받은 기가 허다하므로 그 리도 역시 허다할 뿐이다. 예컨대 개나 말의 형기가 이러하므로 이런 일을 할 수 있을 뿐이다."

또 물었다. "물건마다 각각 태극을 하나씩 지닌다면 이 리는 완전하지 않은 것이 없습니다."

(주자가) 답했다. "리로 말하면 완전하지 않음이 없고, 기로 말하면 치우침이 없을 수 없다."

"오직 받은 기가 허다하므로 그 리도 역시 허다할 뿐이다."라고 말했습니다. 太極에 의해서 몸은 무한히 생겨나고, 그렇게 생겨난 몸은 무한히 변화하는 감정으로 존재합니다. 생김과 놀이의 무한성을 氣라고 합니다. 그러나 이 모든 氣는 理에 의해서 생겨나고 놀이합니다. 이 사실에 입각하여 보면, 모든 氣는 존재 자체로 순수지선이며 최고의 완전성 그 자체입니다. "리로 말하면 완전하지 않음이 없고"라고 말한 까닭입니다. 그렇기 때문에 우리가 오직 氣의 현상만을 바라보며 氣를 이해하면, 氣의 순수지선을 이해할 수 없습니다. "기로 말하면 치우침이 없을 수 없다."라고 말한 까닭입니다. 이 말은 氣의 무한성을 뜻하는 것이지, 절대적으로 氣의 존재 및 그에 고유한 본성에 오류나 하자가 있다는 뜻이 아닙니다.

우리가 이 논점을 이해하면, 후험종합의 완전성을 이해할 수 있습니다. 감정을 감각적 현상으로 바라보면 나쁜 감정이 있는 것 같습니다. 그러나 감정을 그 자체의 본성으로 이해하면 감정은 영원의 필연성으로 순수지선입니다. 이 지점에서 성리학의 본질을 우리는 알 수 있습니다.

[1-6-1-8 『완역 성리대전』]

有有血氣知覺者, 人獸是也. 有無血氣知覺而但有生氣者, 草木是也. 有生氣已絶而但有形質臭味者, 枯槁是也. 是雖其分之殊, 而其理則未嘗不同. 但以其分之殊, 則其理之在是者不能不異. 故人爲最靈, 而備有五常之性. 禽獸則昏而不能備. 草木枯槁則又幷與其知覺者而無焉. 但其所以爲是物之理, 則未嘗不具耳.

(주자가 말했다.) "혈기와 지각을 지닌 자가 있으니 사람과 금수가 이것이다. 혈기와 지각은 없고 단지 생기를 지닌 자가 있으니 초목이 이것이다. 생기는 이미 끊어지고 다만 형질과 냄새와 맛을 지닌 자가 있으니 말라 죽은 것이 이것이다. 비록 그 성분은 다르더라도 그 리는 같지 않은 적이 없다. 그러나 그 성분이 다르다면 여기에 있는 리도 다르지 않을 수 없다. 그러므로 사람이 가장 신령하여 오성의 성을 갖추고 있다. 금수는 어두워서 갖출 수가 없다. 초목과 말라 죽은 것은 또 지각마저도 없다. 그러나 이 물건이 되게 하는 리는 갖추지 않은 적이 없을 뿐이다."

"비록 그 성분은 다르더라도 그 리는 같지 않은 적이 없다."라고 분명히 말했습니다. '다름'에서 '같음'을 인식해야 합니다. 氣(감정)의 무한성에서 氣(감정)이 영원의 필연성 안에서 생명과 사랑을 자기 존재에 고유한 본성의 필연성으로 갖는다는 사실을 알아야 합니다. 이 사실을 알면, '같음'에서 '다름'을 알 수 있습니다. "그러나 그 성분이 다르다면 여기에 있는 리도 다르지 않을 수 없다."라고 말한 이유입니다. 생명과 사랑이 슬픔이나 분노로 드러난다는 사실을 이해해야 한다는 뜻입니다. 그러므로 우리는 性理學의 기초인 『태극도』와 『태극도설』 및 그에 대한 주자의 설명을 통해서 무한한 방식으로 무한한 감정의 순수지선과 완전성을 이해할 수 있습니다. 이것이 '후험분석'입니다.

3. 感情(後驗綜合)의 자기이해

생겨난 몸은 자기 스스로 변화합니다. 이 변화에는 사실상 인간의 마음이 개입되지 않습니다. 예를 들어서 우리의 몸이 배고픔을 느낄 때 우리의 마음이 '나는 배고프지 않다.'라고 아무리 생각해도 우리 몸은 여전히 배고픔을 느낍니다. 몸은 철저히 자기 본성만을 영원의 필연성으로 따라서 변화합니다. 마음은 이 변화를 결정할 수 없습니다. 오히려 마음은 철저히 몸에 종속됩니다. 몸이 자기 스스로 변화하여 구체적인 감정으로 드러나면, 마음은 자기 안에서 자기 스스로 생각함으로써 그에 대한 개념을 형성합니다. 몸이 감정으로 존재할 때 마음도 그와 동시에 감정으로 존재합니다. 그래서 감정에 대한 정의는 다음과 같습니다.

몸의 변화, 그리고 그에 대한 마음의 관념 형성

바로 이 대목에서 서로 다른 몸과 마음은 본래부터 하나로 존재한다는 사실이 증명됩니다. 몸은 몸이고, 마음은 마음입니다. 서로 다른 것입니다. 그러나 서로 다른 몸과 마음이 감정에 의해서 본래 하나로 존재하고 있다는 사실이 증명됩니다. 앞에서 예로 들었듯이 몸이 '배고픔'이라는 감정으로 변화하면, 마음도 그와 동일하게 '배고픔'의 감정으로 존재합니다. 몸과 마음의 관계를 이와 같은 방식으로 이해하면, 마음이 얼마나 중요한지 알 수 있습니다. 마음은 자신의 감정을 의지력으로 조절하거나 제어하는 것이 아니라 자신의 감정에 고유한 본성의 필연성을 이해하는 것입니다.

性理學을 퇴계 이황은 心學으로 부릅니다. '마음'(心)은 '배우는 것'(學)입니다. 무엇을 배울까요? 자기 몸의 변화이면서 동시에 자기 자신인 감정에 대해서 배우는 것입니다. 인간의 마음은 현실적으로 감정으로 존재하며, 그러한 한에서 心學은 감정으로 존재하는 마음이 자신의 본성을 영원의 필연성으로 배워서 이해하는 것입니다. 우리가 이러한 방식으로 감정을 이해하는 데에 성공하면, 세상 그 어떤 감정도 不善이나 惡으로 존재하지 않는다는 것을 이해합니다. 모든 감정은 자기 존재에 관하여 우연성이나 가능성이 아닌 자체에 고유한 본성의 필연성으로 결정되어 있습니다. 이 사실이 감정의 영원한 순수지선 또는 원진성입니다.

이 이해를 형성하는 것이 마음의 기능이며, 이 기능을 온전히 받아서 자신과 자연의 모든 감정을 순수지선으로 이해하는 존재가 인간입니다. 인간이 이렇게 성스럽기 때문에 인간의 진실은 본래부터 성인(聖人)입니다. 이 사실을 주자도 다음과 같이 확인합니다.

[1-6-1-10 『완역 성리대전』]
草木之生, 自有一箇神, 他自不能生. 在人則心便是, 所謂'形既生矣, 神發知矣', 是也.
(주자가 말했다.) "초목이 생함에 본래 한 개의 신이 있으나 그(초목)가 스스로 운용하지는 못한다. 사람에게 있어서는 심이 이것이니, 이른바 '형체가 이미 생김에 정신이 발동하여 안다.'는 것이 이것이다.

"사람에게 있어서는 심이 이것이니, 이른바 '형체가 이미 생김에 정신이 발동하여 안다.'는 것이 이것이다."라고 말했습니다. 형체가 생겨난다는 것은 몸이 생겨난다는 것을 뜻합니다. 생겨난 몸은 당연히 자기 스스로 변화합니다. 이 변화와 동시에 마음은 그에 대한 관념을 형성합니다. 이것이 "형체가 이미 생김에 정신이 발동하여 안다."는 것입니다. 이 정신이 사람의 마음입니다. 사람의 마음은 몸의 변화인 감정에 대한 개념을 자기 스스로 형성하며, 자신이 감정으로 존재하고 있다는 사실을 자각합니다. 이 자각이 감정으로 존재하는 인간의 마음입니다. 즉, 몸은 자기 스스로 변화함으로써 순간 변화의 감정으로 존재하며, 그와 동시에 마음은 몸의 순간 변화에 대한 개념을 자기 스스로 형성함으로써 자신의 존재를 감정으로 확인합니다.

몸의 변화는 사실상 순간 변화입니다. 이 순간 변화가 감정입니다. 이것을 주돈이는 '기'(幾, 氣가 아님에 주의!)라고 부릅니다. 몸의 순간 변화도 幾이며, 그에 대한 개념을 형성함으로써 순간의 감정으로 존재하는 마음도 幾입니다. 마음은 순간 변화인 幾(감정)에 대한 개념 형성 이후, '좋음'(善)과 '싫음'(惡)으로 자신의 감정을 구체화합니다. 몸의 순간 변화에 대해서 몸 스스로 좋다고 변화하면, 마음은 좋음의 감정을 느끼며, 그 반대의 경우는 싫음의 감정을 느낍니다. 문제는 이렇게 감정을 느낀 이후입니다. 몸의 순간 변화 및 그 변화에 따른 몸의 순간 변화에 대해서 좋음과 싫음의 감정을 마음이 형성할 때, 마음이 자기의 감정에 고유한 본성을 배우지 않으면 싫음의 감정을 유발한 것을 악(惡)으로 규정하며 제거하려고 합니다.

감정에 대한 참다운 인식을 결여함으로써 진행되는 결과가 전혀 예상하지 못한 비극이라면, 우리에게 정말 중요한 것은 역으로 감정에 대한 타당한 인식입니다. 그리고 감정은 엄밀히 말해서 몸의 변화, 즉 몸의 사건입니다. 이 사건은 순간 변화의 幾이기 때문에 마음은 이 幾에 나아가 그에 고유한 본성의 필연성을 인식해야 합니다. 그렇지 않고 몸의 순간 변화를 좋음 또는 싫음으로 개념화한 마음의 감정이 그에 근거하여 감정을 인식하려고 하면, 그것은 엄격히 말해서 감정을 몸의 사건이 아닌 마음의 사건으로 접근하는 것입니다. 감정에 대한 타당한 인식을 형성할 수 없습니다. 이미 감정의 좋음과 싫음이 분별되었기 때문입니다.

감정은 몸의 사건입니다. 그렇기 때문에 감정에 대한 타당한 인식은 몸의 본성 안에서 감정의 본성을 이해하는 것입니다. 후험종합의 감정을 좋음과 싫음이라는 감각적 현상으로 이해해서는 안 됩니다. 몸의 순간 변화인 삼성이 마음에 의해서 '좋음' 또는 '싫음'으로 구체화될 때, 감정으로 존재하는 마음은 감정의 현상 이전에 감정 그 자체에 고유한 본성을 이해해야 합니다. 이 이해는 특히 싫음의 대상으로 존재하는 외부 사물(감정)에 대한 참다운 인식으로 인도합니다. 싫음의 감정으로 이해를 시작하면, 그와 관련된 모든 것들은 악으로 규정됩니다. 이 오류를 바로 잡기 위해서는 싫음을 느끼는 감정에 나아가 그에 고유한 본성을 이해하며 이 이해 안에서 대상을 이해하는 것입니다.

이 이해를 위한 방법이 감정을 철저히 몸의 순간 변화인 幾로 접근하는 것입니다. 마음이 구체적인 감정에 대한 개념을 형성할 때, 마음은 그 감정을 감각적 현상으로 바라보는 것이 아니라 그 감정에 나아가 그에 고유한 본성을 이해하는 것입니다. 이것이 바로 幾에 대한 참다운 이해로서 후험종합의 모든 감정을 후험분석으로 이해하는 것입니다. 이 이해를 추구하는 학문이 '성리학의 감정과학'입니다. 이 이해를 주자도 다음과 같이 확인합니다.

[1-6-1-12 『완역 성리대전』]
問: 通書多說幾, 太極圖却無此意.
曰: 五性感動, 善惡未分處便是.
물였다. "『통서』는 기미를 많이 말하였는데, 『태극도』에는 도리어 이런 뜻이 없습니다."
(주자가) 답했다. "오성이 감지하여 동하는데 선과 악이 아직 나뉘지 않은 곳이 바로 이것이다."

"오성이 감지하여 동하는데 선과 악이 아직 나뉘지 않은 곳"이 幾입니다. 오성이 감지하여 동한다는 것은 몸이 자기 본성을 따라서 변화한다는 것입니다. 이 변화는 당연히 순간 변화인데, 이것이 幾입니다. 여기에는 선악이 없습니다. 몸의 순간 변화로 존재할 뿐입니다. 마음은 이에 대한 개념을 형성함으로서 구체적인 감정으로 존재하며 그에 기초하여 좋음과 싫음을 느끼며 더 나아가 선악을 판단합니다. 그렇기 때문에 주돈이도 학문의 핵심을 幾에 둡니다. 몸의 순간 변화인 감정에 나아가 그에 고유한 본성의 필연성을 인식하는 것입니다. 마음은 몸의 순간 변화와 동시에 그에 대한 구체적인 관념을 형성함으로써 감정으로 존재하지만, 그 즉시 마음은 좋음 또는 싫음으로 자신을 규정합니다. 그 이전에 몸의 순간 변화로서 감정을 이해하며 그에 고유한 본성의 필연성을 이해하는 것이 중요합니다.

이러한 맥락에서 다음의 인용을 보면, 성리학은 감정과학이 분명합니다.

[1-6-1-18 『완역 성리대전』]
或問: 有陰陽便有善惡.
曰: 陰陽五行皆善.
又曰: 陰陽之理皆善.
又曰: 合下只有善, 惡是後一截事.
又曰: 竪起看皆善, 橫看, 後一截方有惡.
又曰: 氣有善惡, 理却皆善.
어떤 이가 물었다. "음양이 있으면 바로 선악이 있습니까?"
(주자가) 답했다. "음양오행은 다 선하다."
또 (주자가) 말했다. "음양의 리는 다 선하다."
또 (주자가) 말했다. "본래는 선만 있고, 악은 나중의 일이다."
또 (주자가) 말했다. "일으켜 세워서 보면 다 선하고, 횡으로 보면 뒤쪽에 비로소 악이 있다."

또 (주자가) 말했다. "기에는 선악이 있으나, 리는 도리어 다 선하다."

"음양오행은 다 선하다."고 했습니다. 몸의 본성은 태극이기 때문에 영원의 필연성으로 몸은 순수지선 안에 있습니다. 그렇기 때문에 몸의 순간 변화인 幾도 당연히 순수지선 안에 있습니다. 이 사실을 확인합니다. "음양의 리는 다 선하다."라고 말한 이유입니다. 그러나 幾에 대한 관념을 형성하는 마음은 자신의 감정에 근거하여 善惡을 판단합니다. 이 사실에 입각하여 주자는 "본래는 선만 있고, 악은 나중의 일이다."라고 말했습니다. 그렇기 때문에 善惡을 판단하는 감정이 몸의 순간 변화인 幾에 근거하여 그에 고유한 본성을 이해하는 것이 매우 중요합니다. 이 방법으로 모든 감정을 이해할 때 절대적으로 순수지선의 태극만을 확인합니다. "일으켜 세워서 보면 다 선하고, 횡으로 보면 뒤쪽에 비로소 악이 있다."라고 말한 이유입니다.

세워서 보는 것을 감정과학은 수설(竪說)이라 합니다. 세워서 보는 것은 입체구조입니다. 이 구조는 현상에 나아가 그것이 본래부터 품고 있는 본성의 필연성을 명확하게 이해하는 것입니다. 이것이 성리학의 감정과학이며, 이에 기초하여 나오는 모든 이야기가 수설입니다. 그렇기 때문에 수설은 영원의 필연성 안에서 순수지선만을 이해합니다. 이 이해가 분명할 때, 횡으로 보는 것에 전혀 문제가 발생하지 않습니다. '횡으로 보는 것'이란, 무한한 양태 사이의 무한한 교차를 뜻합니다. 여기에는 감정의 무한성이 존재하며, 이 무한성은 실질적으로 선악(善惡)으로 수렴합니다. 이 이야기를 횡설(橫說)이라 합니다. 그러나 수설 안에서 횡설을 이해하는 한에서 선악은 순수지선을 배우는 학문의 든든한 기초입니다. 수설이 학문의 핵심입니다.

성리학이 마음을 강조하고, 심지어 퇴계 이황이 심학으로 자신의 학문을 요약한 까닭은 몸의 순간 변화인 감정으로 존재하는 마음이 그에 고유한 본성을 이해할 때 태극의 진리를 확인할 수 있기 때문입니다. 횡설에서 수설을 확인하고 다시 수설에 근거하여 횡설을 이해하는 것이 감정과학의 핵심입니다. 이 이해를 형성하는 것이 마음입니다. 주자와 퇴계의 성리학이 마음을 강조하는 이유가 여기에 있습니다. 그렇기 때문에 마음을 보존하는 것이 매우 중요합니다. 마음이 소중한 까닭은 횡설의 감정을 수설로 이해함으로써 횡설의 감정을 순수지선으로 이해하기 때문입니다. 주자도 다음과 같이 말합니다.

[1-6-1-19 『완역 성리대전』]
孟子云, 人'之所以異於禽獸者幾希.' 人物之所以異, 只是爭些子. 若更不能存得, 則與禽獸無異矣.

(주자가 말했다.) "맹자가 이르기를, '사람이 금수와 다른 것은 적다.'하였으니, 사람과 만물의 다른 점은 사소한 것을 다툴 뿐이다. 더구나 보존하지 못하면 금수와 다를 바가 없을 것이다."

인간을 포함하여 자연의 모든 것은 몸과 마음으로 존재합니다. 인간과 자연 만물 사이에 차이가 없습니다. 그러나 인간이 성스러운 이유는 자신과 자연의 모든 것을 태극으로 이해할 수 있기 때문입니다. 영원의 필연성 안에서 순수지선으로 모든 것이 존재하고 있다는 사실을 이해하는 존재가 자연 안에서 오직 인간입니다. 이 이유로 인간은 자신의 마음을 소중히 보존해야 합니다. 감정으로 존재하는 마음이 감정에 종속되는 것이 아니라 감정의 본성을 이해하는 것이 곧 마음을 보존하는 것입니다. 마음이 이 이해를 형성하지 않으면 몸의 순간 변화와 몸 자체 그리고 몸이 교차하는 다른 몸을 감각적 현상으로 지각하며 오직 그것만으로 善惡을 판단하는 오류를 범합니다.

이 오류의 위험성을 주자도 다음과 같이 확인합니다.

[1-6-1-20 『완역 성리대전』]
以氣質有蔽之心, 接乎事物無窮之變, 則其目之欲色, 耳之欲聲, 口之欲味, 鼻之欲臭, 四肢之欲安佚, 所以害乎其德者, 又豈可勝言者哉? 二者相因, 反覆深固. 是以此德之明, 日益昏昧, 而此心之靈, 其所知者不過情欲利害之私而已. 則是雖曰有人之形, 而實何以遠於禽獸?

(주자가 말했다.) "기질에 가려진 마음으로 사물의 무궁한 변화를 대하면, 그 눈이 색상을 원함, 귀가 소리를 원함, 입이 맛을 원함, 코가 냄새를 원함, 사지가 안일을 원함 등등이 덕을 해치는 것을 또 어찌 이루 다 말할 수 있겠는가? 양자가 서로 원인이 되어 반복하여 깊어지고 굳어진다. 그러므로 이 덕의 밝음이 날로 더욱 어두워져서 이 허령한 마음이 아는 것은 욕구와 손익의 사사로운 것에 지나지 않을 뿐이다. 이렇게 되면 비록 사람의 모습을 지녔다고 하나 사실 어찌 금수와 멀겠는가?

"기질에 가려진 마음"이란 마음이 자기 본래의 기능인 '생각'을 올바르게 하지 않는 것입니다. 몸의 감각에 수동적으로 의존한 상태에서 수동적으로 생각하는 것입니다. 몸은 순간 변화함으로써 감정으로 존재합니다. 마음의 생각은 이에 대한 개념을 형성함과 동시에 그에 고유한 본성을 이해하는 것입니다. 그런데 뜻밖에 마음이 몸의 감각에 의존하여 생각하게 되면, 마음은 감정으로 생각하는 것이 아니라 몸의 현상으로 생각하게 됩니다. 이것이 바로 마음을 보존하지 못하는 것입니다. 이로부터 "이 덕의 밝음이 날로 더욱 어두워져서 이 허령한 마음이 아는 것은 욕구와 손익의 사사로운 것에 지나지 않을 뿐이다."이라는 문제가 발생합니다. 감정의 순수지선을 모르면 감각적 현상만으로 善惡을 판단하고 급기야 惡으로 규정한 것을 없애려고 합니다.

그러므로 주자의 성리학 또는 퇴계 이황의 심학은 '감정의 자기이해'입니다. 우리의 마음은 무한한 방식으로 무한하게 이루어지는 몸의 순간 변화에 대한 개념을 형성함으로써 감정으로 존재합니다. 이것이 몸으로 살아가는 우리의 현실입니다. 몸의 감각 기관은 몸이 자신의 변화를 이루기 위한 수단일 뿐입니다. 그렇기 때문에 마음이 생각한다는 것은 엄밀히 말해서 몸의 감각에 의존하여 모든 것을 감각적 현상으로 지각하는 것이 아니라 몸의 순간 변화인 감정으로 존재하는 것입니다. 이때 비로소 감정으로 존재하는 마음은 자신과 모든 것을 본성의 필연성으로 이해할 수 있게 됩니다. 이 이해가 감정의 자기이해입니다.

4. 惡의 기원

지금까지 논의된 논점을 바탕으로 생각해 보면, 악(惡)의 실체는 없습니다. 감정으로 존재하는 마음이 자신에 대한 타당한 이해를 결여할 때, 그로 인해 발생하는 비극일 뿐입니다. 이 문제를 주자도 다음과 같이 확인합니다.

[1-6-1-21 『완역 성리대전』]

南軒張氏曰: 人之性不能不感物而動. 感物而動, 固性之常. 然而善惡自此分, 萬事自此出矣. 五性感動, 動而心不宰, 則情流而不知止, 性以陷溺矣, 所以爲惡也. 譬之水, 發而無泥滓之雜, 則固水之本然者. 泥滓或參焉, 則汨之矣. 雖汨之, 而水之本然者自在也. 故貴於澄之以復其初而已, 人雖流於惡, 其本然亦豈遂忘乎, 此聖人所以有教也.

남헌 장씨가 말했다. "사람의 성은 물건에 느낌을 받아 움직이지 않을 수 없다. 물건을 느껴서 움직이는 것은 본디 성이 늘 그런 것이다. 그러나 선과 악이 이로부터 나뉘고, 만사가 이로부터 나온다. 오성이 느껴서 움직이는데, 움직일 때에 마음이 주재하지 않으면 정이 흘러 그칠 줄을 모르니 성이 여기에 빠져서 악이 된다. 물에 비유하면 솟아나서 진흙찌끼의 섞임이 없는 것은 진실로 물의 본 모습이다. 진흙찌끼가 혹 여기에 섞이면 흐려질 것이다. 비록 흐려지더라도 물의 본 모습은 그대로이다. 그러므로 맑게 하여 그 처음으로 돌아가는 것을 귀하게 여길 뿐이다. 사람이 비록 악에 흐르더라도 그 본 모습마저도 어찌 마침내 없어지겠는가? 이것이 성인이 교육을 하는 까닭이다."

"물건을 느껴서 움직이는 것은 본디 성이 늘 그런 것이다."는 것은 몸의 순간 변화로서 감정을 뜻합니다. 그렇기 때문에 감정을 느끼며 사는 것이 인간의 진실입니다. 마음은 몸의 순간 변화인 감정에 대한 관념을 형성함으로써 감정으로 존재합니다. 이 사실로부터 마음은 자신의 감정에 근거하여 좋음(善)과 나쁨(惡)을 느끼며 동시에 그것으로 자연의 모든 몸을 판단합니다. "그러나 선과 악이 이로부터 나뉘고, 만사가 이로부터 나온다."라고 말한 까닭입니다. 그런데 만사(萬事) 가운데에는 전쟁 등 비극도 있습니다. 감정으로 살아가는 인생이 비극을 겪게 된다면, 이 문제를 바로잡는 방법은 계속해서 논의한 바와 같이 감정에 대한 타당한 인식을 형성하는 것입니다.

이 인식을 위해서 "오성이 느껴서 움직이는데, 움직일 때에 마음이 주재하지 않으면 정이 흘러 그칠 줄을 모르니 성이 여기에 빠져서 악이 된다."라고 말했습니다. 오성이 느껴서 움직이는 것은 몸의 순간 변화입니다. 이때 마음이 주재하지 않는다는 것은 감정으로 존재하는 마음이 감정에 대한 타당한 인식을 형성하지 못하는 것입니다. 즉, 감정에 고유한 본성의 필연성을 이해하지 않는 것입니다. 그 결과 발생하는 것이 '악'(惡)이 존재한다는 착각입니다. 전적으로 마음이 자기의 감정에 대한 타당한 인식을 결여함으로써 발생하는 비극입니다. 그러나 惡의 실체는 없습니다. 감정에 고유한 본성을 명백하게 이해하지 못할 때, 마음은 '惡'이 존재한다는 오류에 빠지게 됩니다.

끝으로 이러한 인식의 오류를 바로 잡는 방법은 무엇일까요? 이 물음에 대한 답이 이번에 우리가 공부하는 성리학의 감정과학입니다. 위의 인용에서 핵심을 다시 제시하면 다음과 같습니다.

물에 비유하면 솟아나서 진흙찌끼의 섞임이 없는 것은 진실로 물의 본 모습이다. 진흙찌끼가 혹 여기에 섞이면 흐려질 것이다. 비록 흐려지더라도 물의 본 모습은 그대로이다. 그러므로 맑게 하여 그 처음으로 돌아가는 것을 귀하게 여길 뿐이다. 사람이 비록 악에 흐르더라도 그 본 모습마저도 어찌 마침내 없어지겠는가? 이것이 성인이 교육을 하는 까닭이다.

감정에 대한 인식의 오류는 감정 그 자체의 존재에 관하여 그 어떤 영향을 미치지 못합니다. 마치 삼각형의 본성을 우리가 사각형의 본성으로 이해한다고 해도 삼각형 그 자체의 본성은 절대적으로 영향을 받지 않는 것과 같습니다. 감정은 영원의 필연성으로 순수지선의 생명과 사랑인 태극 안에 존재하며 태극에 의해서 존재하도록 결정되어 있습니다. 그렇기 때문에 우리는 얼마든지 인식의 오류 안에서도 인식의 오류를 스스로 교정할 수 있습니다. 사각형의 본성으로 삼각형의 본성을 이해한다고 해도, 우리는 얼마든지 삼각형의 본성을 올바르게 이해할 수 있는 것과 같습니다. 감정에 대한 인식의 오류 안에 있는 마음은 얼마든지 감정에 대한 참다운 인식을 확립합니다.

성리학(性理學)이 성학(聖學)인 이유가 여기에 있습니다. 마음의 본성이 절대적인 완전성 안에 존재하기 때문에 마음이 인식의 오류에 빠져 있다고 해도 마음은 얼마든지 자신을 구원할 수 있습니다. 이 능력이 인간 마음에 고유한 본성입니다. 이 이유로 퇴계 이황에게 성리학은 심학(心學)이며 성학(聖學)입니다. 이 진실을 남헌 장씨는 다음과 같이 확인했습니다.

[1-6-1-22 『완역 성리대전』]

太極渾淪, 生化之根, 闔闢二氣, 樞杻群動. 惟物由乎其間而莫之知, 惟人
則能知之矣. 人之所以能知者, 以其為天地之心. 太極之動, 發見周流, 備乎已
也. 然則心體不旣廣大矣乎

(남헌 장씨가 말했다.) "태극은 혼륜하니 생성변화의 근원이며, 두
기를 열고 닫으며 뭇 움직임을 주재한다. 오직 물건은 그 사이로 다니면
서도 알지 못하는데, 오직 사람만이 이를 알 수 있다. 사람이 능히 알
수 있는 까닭은 (사람이) 천지의 마음이기 때문이다. 태극이 움직여서
발현하고 두루 흘러 나에게 갖추어졌다. 그렇다면 심의 본체는 이미 광
대한 것이 아닌가?"

인간의 몸과 마음은 자연의 진실 그대로 태극 안에 있습니다. 이
사실이 분명하기 때문에 인간은 인식의 오류에 갇혀 있음에도 불구
하고 얼마든지 자신을 자유롭게 할 수 있습니다. "사람이 능히 알 수
있는 까닭은 (사람이) 천지의 마음이기 때문이다. 태극이 움직여서 발현하고
두루 흘러 나에게 갖추어졌다. 그렇다면 심의 본체는 이미 광대한 것이 아
닌가?"라고 확신을 할 수 있는 이유입니다. 마음의 진실이 太極 안에
있기 때문에 태극으로 생각하고 이해하는 마음의 진실은 절대적인
능력입니다.

이 능력이 분명하기 때문에 인간의 마음은 자신의 오류를 뉘우칠
수 있습니다. 이러한 맥락에서 학문의 핵심은 인식의 잘못을 절대적
으로 범하지 않겠다는 결연한 의지력이 아니라 자신의 잘못을 뉘우
치며 인식의 오류를 바로잡는 자기이해입니다.

[1-6-1-23 『완역 성리대전』]
北溪陳氏曰: 太極只是理, 理本圓, 故太極之理本渾淪. 理無形狀, 無界限

間隔, 故萬物無不各具得太極, 而太極之本體各各無不渾淪. 惟人氣正且通為萬物之靈, 能通得渾淪之體. 物氣偏且塞不如人之靈, 雖有渾淪之體, 不能通耳. 然人類中, 亦惟聖人大賢然後眞能通得渾淪之體. 一種下愚之人, 其昏頑却與物無異, 則又正中之偏, 通中之塞者. 一種靈禽仁獸, 其性與人甚相近, 則有偏中之正, 塞中之通者. 細推之, 有不能以言盡.

　　북계 진씨가 말했다. "태극은 리일 뿐이다. 리가 본래 원전하므로 태극의 리도 본래 혼륜하다. 리에는 형상이 없고 경계나 간격이 없으므로 만물이 각각 태극을 갖출 수 없는 경우는 없고, 태극의 본체가 각각 혼륜하지 않음이 없다. 사람의 기는 바르고 통하여 만물 중의 신령한 자가 되고, 혼륜한 본체를 통하게 할 수 있다. 물건의 기는 치우치고 막혀서 사람의 신령함과 같지 않으니, 비록 혼륜한 본체를 지녔더라도 통하게 할 수 없을 뿐이다. 그러나 인류 중에 역시 성인이나 대현인 다음에야 진실로 혼륜한 본체를 통하게 할 수 있다. 어떤 아주 어리석은 사람은 그 어리석고 완악하기가 도리어 물건들과 다름이 없으니, 또한 바른 것 중의 치우친 것이고, 통하는 것 중의 막힌 것이다. 어떤 신령스런 날짐승이나 어진 길짐승은 그 성이 사람과 서로 매우 가까우니 치우친 것 중의 바른 것이며, 막힌 것 중의 통한 것이다. 자세히 분석하면 말로 다 할 수 없는 것이 있다."

　　"리에는 형상이 없고 경계나 간격이 없으므로 만물이 각각 태극을 갖출 수 없는 경우는 없고, 태극의 본체가 각각 혼륜하지 않음이 없다."라고 말했습니다. 자연의 모든 것은 태극 안에서 생겨나고 활동합니다. 이 사실을 부정하는 것은 없습니다. "사람의 기는 바르고 통하여 만물 중의 신령한 자가 되고, 혼륜한 본체를 통하게 할 수 있다."라고 했습니다. 인간의 마음(氣)은 이 진리를 이해하는 능력을 가지고 있습니다. 이 사실 때문에 사람은 성스럽습니다. "인류 중에 역시 성인이나 대현인 다음에야 진실로 혼륜한 본체를 통하게 할 수 있다."라고 말한 까닭입니다. 그러므로 聖人은 우리 자신의 진실입니다. 우리 자신을 聖人으로 이해하지 않으면 性理學을 잘못 배운 것입니다.

2장. '聖人主靜'에 관하여

聖人定之以中正仁義, 聖人之道, 仁義中正而已矣 而主靜, 無欲故靜 立人極焉. 故
聖人與天地合其德, 日月合其明, 四時合其序, 鬼神合其吉凶.

1. 後驗綜合의 後驗分析

　사람의 마음은 자신의 몸과 자연의 모든 몸을 太極으로 이해하는
능력을 가지고 있습니다. 이미 太極 안에서 太極에 의해서 존재하도
록 결정된 사람입니다. 이 사람이 자기의 몸에서 太極을 이해하고,
더 나아가 자연의 모든 몸에서 太極을 이해합니다. 이 이해를 통해서
세상의 진실을 영원무한의 생명과 사랑으로 확인하는 사람이 聖人입
니다. 그렇기 때문에 聖人은 綜合의 세상을 分析으로 살아갑니다. 즉,
생김의 무한한 현상을 그 자체에 고유한 본성인 태극으로 이해하며,
놀이도 같은 방식입니다. 이 분석을 주돈이는 '정'(靜)이라고 했습니
다. 성인은 정(靜)을 주(主)로 하여 배웁니다. '주정'(主情)을 학문의
핵심으로 제시하는 이유입니다.

　　　[1-7-1-1『완역 성리대전』]
　　　問: 聖人定之以仁義中正而主靜
　　　朱子曰:此是聖人'修道之謂教'處.

'성인이 중정인의하기로 하였으면서도 정을 위주로 한다.'에 대하여 물었다.

주자가 답했다. "이것은 성인이 '도를 닦는 것을 교육이라 한다.'는 것이다."

靜은 일반적으로 '고요함'으로 번역되지만, 감정과학으로 성리학을 이해하는 한에서 靜은 太極을 이해하는 정신의 분석 능력입니다. 동시에 몸의 진실이기도 합니다. 성리학의 기초는 『태극도』입니다. 태극을 이해하는 것이 태극도의 목표이며, 이 목표가 곧 성리학의 학습 목표입니다. 그렇기 때문에 성리학의 목표를 위한 구체적인 방법이 주정(主靜)이라면, 당연히 이 방법은 태극에 대한 명백한 인식이지 않으면 안 됩니다. 한편, 태극을 이해하는 것은 감정과학에 의하면 분석입니다. 생각하는 마음이 자기의 몸을 비롯해서 자연의 모든 몸을 감각적 현상이 아닌 그에 고유한 본성의 필연성을 명명백백하게 이해할 때, 이 이해가 분석입니다. 이 분석은 본성의 필연성, 즉 太極에 대한 명백한 인식입니다.

聖人이 主靜으로 人極을 세운다는 것은 사람과 자연의 진실이 영원으로부터 영원에 이르는 필연성으로 太極 안에 존재한다는 사실을 이해하는 것입니다. 이 사실에 근거하여 主靜의 靜은 당연히 분석이며, 이것은 태극에 대한 명백한 이해로 직결됩니다. 이 이해가 곧 도(道)를 닦는 것입니다. 도를 닦는다는 것은 눈에 보이는 행동을 가꾸는 것이 아니라 도에 대한 명백한 인식을 형성함으로써 마음이 더 이상 인식의 오류에 빠지지 않는 것입니다. 사람이 모든 것을 태극 안에서 이해할 때, 자연의 모든 몸의 생김과 놀이를 순수지선으로 이해할 수 있게 됩니다. 자연의 모든 몸에 대한 참다운 인식을 형성하는 것이 수도(修道)입니다.

이 사실을 주자도 다음과 같이 확인합니다.

[1-7-1-2 『완역 성리대전』]

人雖不能不動, 而立人極者必主乎靜. 惟主乎靜, 則其著於動也無不中節[다 좋다.], 而不失其本然之體矣.

(주자가 말했다.) "사람이 비록 움직이지 않을 수 없으나 인극을 세우는 것은 반드시 가만있는 것을 주로 한다. 오직 가만있는 것을 주로 하면 움직임에 드러난 것이 중절하지 않을 수 없고 그 본연의 체를 잃지 않는다."

"사람이 비록 움직이지 않을 수 없으나"라고 말했습니다. 이것은 사람은 생겨난 몸으로 놀이한다는 것을 뜻합니다. 우리의 몸은 무한한 방식으로 무한하게 순간 변화합니다. 자연의 모든 몸도 이와 같은 방식으로 변화합니다. 이 모든 변화에서 靜을 主로 한다는 것은 몸의 순간 변화에 고유한 본성의 필연성, 즉 태극으로 몸의 순간 변화를 이해한다는 것을 뜻합니다. 이때 비로소 모든 것은 태극에 의해서 생겨나고 변화한다는 것을 이해할 수 있습니다. 모든 몸의 생김이 순수지선이며, 모든 몸의 순간 변화가 순수지선이라는 것을 이해합니다. "오직 가만있는 것을 주로 하면 움직임에 드러난 것이 중절하지 않을 수 없고 그 본연의 체를 잃지 않는다."라고 말한 이유입니다.

중절(中節)은 태극 안에서 몸의 생김과 놀이를 이해하는 것입니다. 그렇기 때문에 체(體)는 몸의 생김과 놀이를 일관하는 태극입니다. 이렇게 자연 및 인간의 진실을 순수지선으로 이해하는 것이 참다운 지식이며 올바름입니다. 주자는 이 주제를 다음과 같이 설명합니다.

[1-7-1-9 『완역 성리대전』]

問: 智與正何以相契?

曰: 只是眞見得是非便是正. 不正便不喚做智了.

又問: 只是眞見得是眞見得非. 若以是爲非以非爲是, 便不是正否?

曰: 是.

물었다. "지와 정이 어떻게 서로 꼭 들어맞습니까?"

(주자가) 답했다. "단지 참으로 옳고 그름을 아는 것이 정이다. 바르지 못함을 곧 지라고 부르지는 않는다."

또 물었다. "단지 참으로 옳음을 알고 참으로 그름을 알 뿐입니다. 만일 옳은 것을 그르다고 여기고, 그른 것을 옳다고 여기면, 곧 정이 아니지 않습니까?"

(주자가) 답했다. "옳다."

"참으로 옳고 그름을 아는 것이 정이다."라고 주자는 말했습니다. 참으로 '옳은 것'(正)은 태극입니다. 그렇기 때문에 자연의 모든 것이 태극에 의해서 순수지선으로 생겨나고 놀이한다는 사실을 영원의 필연성으로 이해하는 것이 참으로 '옳음'을 이해하는 것입니다. 그렇다면 '그름'은 무엇일까요? 순수지선으로 생겨나지 않는 몸이 존재한다는 생각의 잘못 또는 순수지선을 부정하는 감정이 존재한다는 생각의 잘못이 그름입니다. 太極에 의해서 몸이 생겨나며 太極에 의해서 몸이 변화합니다. 그 어떤 몸의 생김 그리고 그 어떤 몸의 변화도 太極 밖에 있지 않습니다. 이 사실을 주자도 다음과 같이 확인합니다.

[1-7-1-11 『완역 성리대전』]

動則此理行, 此動中之太極也. 靜則此理存, 此靜中之太極也.

(주자가 말했다.) "동하면 이 리가 행하니, 이것은 동하는 중의 태극이다. 정하면 이 리가 존재하나 이것은 정하는 중의 태극이다."

"동하면 이 리가 행하니, 이것은 동하는 중의 태극이다."라고 했습니다. 몸의 놀이로서 몸의 순간 변화, 즉 후험종합으로서 감정은 태극 안에 있습니다. 태극은 선험분석으로 존재하면서 동시에 후험분석으로 존재합니다. 몸의 순간 변화는 철저히 태극을 본성으로 따릅니다. "정하면 이 리가 존재하나 이것은 정하는 중의 태극이다."라고 했습니다. 순간 변화를 이해하는 분석도 태극 안에서 이루어진다는 것을 분명히 합니다. 그렇기 때문에 分析이 태극을 향하지 않거나, 分析이 태극에 대한 명백한 인식으로 우리의 정신을 인도하지 않는다면, 그것은 분석이 아닙니다.

2. 聖人의 學問論, 감정의 자기이해

성리학은 절대적으로 몸을 떠나지 않습니다. 이 사실은 『대학』의 수신(修身)에 근거하여 분명합니다. 그렇기 때문에 성리학은 몸에 대한 참다운 인식을 추구하는 학문입니다. 이때 몸은 사실상 무한히 변화하기 때문에 몸에 대한 참다운 인식은 실질적으로 몸의 순간 변화인 감정에 대한 참다운 인식입니다. 성리학을 감정과학으로 분류할 수밖에 없는 결정적인 이유가 여기에 있습니다. 몸의 순간 변화에 고유한 본성의 필연성을 인식하는 학문이 감정과학으로서 성리학이기 때문에 논리적 순서는 몸 그 자체의 본성을 분명히 이해하는 것입니다. 몸의 생김에 고유한 진실을 이해할 때, 몸의 변화를 필연성으로 이해할 수 있습니다.

주자는 다음과 같이 말합니다.

[1-7-1-27 『완역 성리대전』]

'主靜' 二字, 乃言聖人之事. 蓋承上文 '定之以中正仁義' 而言, 以明四者之中, 又自有實主耳. 觀此則學者用功固自有次序, 須先有箇立脚處, 方可省察, 就此進步. 非謂靜處全不用力, 但須如是方可用得力耳.

(주자가 말했다.) "'정을 주로 한다.'는 것은 곧 성인의 일을 말한 것이다. 대개 윗글 '중정인의하기로 정하였다.'를 이어서 말하여 네 가지중에 또 본래 주객이 있음을 밝혔을 뿐이다. 이를 보면 배우는 자가 공부를 하는 데는 진실로 본래 순서가 있으니, 반드시 먼저 근거할 곳이 있어야 비로소 성찰할 수 있고, 거기에서 진보한다. 가만있을 때는 전혀 노력하지 않는다는 것이 아니라, 다만 반드시 이와 같이 (정을 위주로) 해야 비로소 효과를 얻을 수 있을 뿐이다."

"배우는 자가 공부를 하는 데는 진실로 본래 순서가 있으니,"라고 말했습니다. 몸의 생김을 인식함으로써 그에 근거하여 몸의 놀이인 감정을 인식해야 합니다. 이 순서가 매우 중요합니다. 몸의 놀이에 고유한 본성의 필연성이 무엇인지 이해할 때, 우리는 매순간 새로운 감정에 나아가 그에 고유한 본성의 필연성을 분명하게 이해할 수 있습니다. 공부의 순서를 이와 같이 확인하고 나면, 학문의 기초는 몸입니다. 정확히 말해서 우리 자신의 몸입니다. "반드시 먼저 근거할 곳이 있어야 비로소 성찰할 수 있고, 거기에서 진보한다."라고 말했습니다. 이제 매우 중요한 것은 '근거할 곳'이 어디인지 확인하는 것입니다.

남헌 장씨는 다음과 같이 말합니다.

[1-7-1-31 『완역 성리대전』]

南軒張氏曰: 天地之德, 日月之所以明, 四時之所以序, 鬼神之所以吉凶, 皆是理也[후분]. 聖人得太極之道而備諸躬, 則其合也豈在外乎! 蓋其理不越乎此[자기 몸]而已. 學聖者, 盍亦勉夫修道之敎乎! 修之之要, 其惟敬乎! 太極之妙[후분 인식], 不可以臆度而力致也. 惟當一本於敬以涵養之. 旣發之際, 則因其端而致夫察之之功, 未發之時, 則卽其體而不失其存之之妙, 則其所以省察者, 乃所以著存養之理, 而其所以存養者厚, 則其省察者益明矣. 此敬之功也, 所謂'主靜'者也.

남헌 장씨가 말했다. "천지의 덕과, 해와 달이 밝게 하는 것과, 사시가 차례대로 운행하게 하는 것과, 귀신이 길흉하게 하는 것은 모두 리이다. 성인이 태극의 도를 얻어 몸에 갖추면 그 합치하는 것이 어찌 몸 밖에 있겠는가! 대개 그 리는 이것을 넘지 않는다. 성인을 배우는 자가 어찌 역시 도를 닦는 가르침에 힘쓰지 않겠는가! 닦는 요령은 오직 경인저! 태극의 묘는 억측으로 힘써서 이르게 할 수는 없다. 오직 마땅히 한결같이 경에 근본하여 함양해야 한다. 발하려고 할 즈음에는 그 단서에 의거하여 살피는 공부를 다하고, 아직 발하지 않았을 때는 그 체에 보존하는 묘를 잃지 않는다. 그렇게 하면 그 성찰하는 것은 바로 존양한 리를 드러나 게 하는 것이고, 그 존양한 것이 두터우면 성찰은 더욱 밝아질 것이다. 이것은 경의 공부이며. 이른바 '정을 위주로 한다.'는 것이다."

위의 인용은 매우 중요하기 때문에 네 부분으로 나누어 살펴보도록 하겠습니다.

① 南軒張氏曰: 聖人得太極之道而備諸躬, 則其合也豈在外乎! 蓋其理不越乎此而已. 學聖者, 盍亦勉夫修道之敎乎!

남헌 장씨가 말했다. "성인이 태극의 도를 얻어 몸에 갖추면 그 합치하는 것이 어찌 몸 밖에 있겠는가! 대개 그 리는 이것을 넘지 않는다. 성인을 배우는 자가 어찌 역시 도를 닦는 가르침에 힘쓰지 않겠는가!

"성인이 태극의 도를 얻어 몸에 갖추면 그 합치하는 것이 어찌 몸 밖에 있겠는가!"라고 말했습니다. 몸을 떠나서는 절대적으로 태극을 이해할 수 없습니다.

② 修之之要, 其惟敬乎! 太極之妙[후분 인식], 不可以臆度而力致也. 惟當一本於敬以涵養之.

닦는 요령은 오직 경인저! 태극의 묘는 억측으로 힘써서 이르게 할 수는 없다. 오직 마땅히 한결같이 경에 근본하여 함양해야 한다.

"닦는 요령"은 몸에 나아가 태극을 이해하는 것입니다. 몸이 영원의 필연성 안에서 순수지선의 생명과 사랑으로 태어났다는 사실을 이해하는 것입니다. 이 인식을 위한 방법으로 경(敬)을 제시합니다. 그렇다면 이것은 주정(主靜)과 절대 다르지 않습니다. 靜과 敬은 본질적으로 일치합니다. 그런데 우리는 이미 앞에서 靜의 진실을 분석으로 확인했습니다. 이에 근거하여 우리는 敬을 분석에 근거하여 선험과 후험에 대한 명백한 이해를 형성하는 것으로 정의할 수 있습니다. 敬은 감각적 현상으로 인식하는 것이 아니라 모든 현상을 그 자체에 고유한 본성의 필연성으로 인식하는 것입니다. 그 결과 순수지선을 분명하게 이해하는 것이 敬입니다.

敬을 분석으로 이해하면, 이것은 당연히 선험의 몸-생김과 후험의 몸-놀이인 감정에 일관됩니다. 이 사실을 다음과 같이 확인할 수 있습니다.

③ 旣發之際, 則因其端而致夫察之之功, 未發之時, 則卽其體而不失其存之之妙.

　　발하려고 할 즈음에는 그 단서에 의거하여 살피는 공부를 다하고, 아직 발하지 않았을 때는 그 체에 보존하는 묘를 잃지 않는다.

"발하려고 할 즈음"과 "아직 발하지 않았을 때"를 분명히 나누고 있습니다. 발한다는 것은 몸의 순간 변화로서 감정이며, 발하지 않을 때에는 몸의 순간 변화에 앞서는 선험으로서 몸의 생김을 뜻합니다. 이에 근거하여 우리는 위의 인용을 두 가지 방면으로 이해할 수 있습니다. "발하려고 할 즈음에는 그 단서에 의거하여 살피는 공부를 다하고"는 감정에 나아가 그에 고유한 본성의 필연성으로서 태극을 이해하는 것입니다. "아직 발하지 않았을 때는 그 체에 보존하는 묘를 잃지 않는다."는 몸-생김에 고유한 본성으로서 태극을 이해하는 것입니다. 따라서 위의 인용을 다음과 같이 이해할 수 있습니다.

　　旣發之際[감정을 느낄 때], 則因其端[그 감정에 나아가]而致夫察之之

功,[그에 고유한 본성의 필연성을 이해한다.]

未發之時[감정의 순간 변화에 나아가 그에 고유한 본성의 필연성을 인식하면], 則即其體而不失其存之之妙[감정 그 자체의 본성에 고유한 완전성을 확인한다. 영원무한의 필연성으로 다 좋은 감정이다.].

우리가 위와 같이 학문을 연마하면 그 공효는 다음과 같습니다.

④ 則其所以省察者, 乃所以著存養之理, 而其所以存養者厚, 則其省察者益明矣. 此敬之功也, 所謂'主靜'者也.

그렇게 하면 그 성찰하는 것은 바로 존양한 리를 드러나 게 하는 것이고, 그 존양한 것이 두터우면 성찰은 더욱 밝아질 것이다. 이것은 경의 공부이며, 이른바 '정을 위주로 한다.'는 것이다."

감정에 나아가 그에 고유한 본성의 필연성을 인식하는 것이 성찰입니다. 이것이 '감정의 자기이해'입니다. 이렇게 감정의 자기이해를 연마해 나아가면, 순수지선으로 존재하는 단 하나의 실체로서 태극이 사실상 무한한 방식으로 무한하게 자신의 존재를 새롭게 한다는 것을 알 수 있습니다. 몸-생김의 본성으로 존재하는 태극의 진실을 후험에서 확인할 수 있습니다. 이 인식으로 당연히 몸의 순간 변화인 감정의 무한성을 태극으로 이해할 수 있는 든든한 믿음을 형성합니다. 성찰이 더욱 밝아집니다. 그러므로 성리학은 생김과 놀이의 본성인 태극 안에서 생김과 놀이의 무한성을 무한한 순수지선으로 배우는 성스러운 학문입니다.

3장. '君子小人'에 관하여

君子修之吉. 小人悖之凶.

군자와 소인을 구분하는 기준은 수(修)와 패(悖)에 있습니다. 그런데 우리는 修가 뜻하는 바가 무엇인지 이미 알고 있습니다. 수신(修身)에 근거하여 보면, 몸에 대한 바른 이해를 형성하는 것이 '修'입니다. 즉, 자신의 몸에서 太極을 이해하며, 이 이해로부터 몸의 순간 변화인 감정에서 太極을 이해하는 것이 '修'입니다. 이렇게 몸과 감정을 이해하면 우리는 오직 영원무한의 생명과 사랑 안에서 '순수지선'만을 확인합니다. 반면, 이 사실을 인식하지 못하면 나쁜 것이 존재한다는 착각에 빠지며 그 즉시 전쟁 정신에 몰입하게 됩니다. 어느 것이 과연 행복이고 불행일까요?

이 물음에 대한 남헌 장씨의 답은 분명합니다.

[1-8-1-3 『완역 성리대전』]
南軒張氏曰: '君子修之吉'者, 順理之謂吉也. '小人悖之凶'者, 逆理之謂凶也. 順理則平直坦易而無悔, 非吉乎! 逆理則艱難險阻而有礙, 非凶乎!

남헌 장씨가 말했다. "'군자는 이를 닦아서 길하다.'는 것은 리를 따르는 것을 길하다고 한 것이다. '소인은 이를 이겨서 흉한다.'는 것은 리를 거스르는 것을 흉하다고 한 것이다. 리를 따르면 평탄하고 쉬워서 후

회가 없으니 길하지 않겠는가! 리를 거스르면 힘들고 험해서 막힘이 있
으니 흉하지 않겠는가!"

결국 행복과 불행은 감정에서 '리'(理)를 분명히 인식하는지 여부
에 달려 있습니다. 감정에 나아가 그것의 순수지선을 이해하면, 다
좋은 감정입니다. '다 좋은 감정'을 이해하는 마음은 자연의 모든 것
을 '다 좋은 것'으로 배워서 이해합니다. 절대적으로 나쁜 것이 있다
는 생각으로 나쁜 것을 없애려는 전쟁을 하지 않습니다. 군자와 소
인의 차이는 여기에 있습니다. 기질(氣質)이나 능력을 두고 하는 말
이 아니라 감정에 나아가 그에 고유한 본성을 이해하면 군자이며,
이 이해에 어두우면 소인입니다. 성스러운 사람이 성스럽게 살아가는
진실이 군자이며, 성스러운 사람이 감정과학을 연마하지 않음으로 인
해 순수지선을 모르게 되면 그것이 곧 소인입니다.

4장. '源始反終'에 관하여
_{원 시 반 종}

故曰, 立天之道曰陰與陽, 立地之道曰柔與剛, 立人之道曰仁與義. 又曰, 原始反終, 故知死生之說.

자신의 몸에서 태극을 이해하면, 그 즉시 자신의 몸이 영원무한의 생명과 사랑에 의해서 생겨났다는 사실을 이해합니다. '삶'과 '죽음'이 본래 다른 것이 아닙니다. 생명과 사랑 안에서 몸의 생김이 '삶'이며 몸의 변화에서 그 끝이 '죽음'입니다. 모든 것이 순수지선의 생명과 사랑 안에 있습니다.

[1-9-1 『완역 성리대전』]
能原其始而知所以生, 則反其終而知所以死矣.
그 시원을 탐구하며 생한 까닭을 알 수 있으면, 그 끝으로 돌이켜서 죽는 까닭을 알 것이다.

"그 시원을 탐구하며 생한 까닭을 알 수 있으면"은 생김의 진실을 이해하는 것입니다. "그 끝으로 돌이켜서 죽는 까닭을 알 것이다."는 생김의 변화 가운데 마지막에 있는 죽음의 진실을 이해하는 것입니다. 영원의 필연성 안에서 절대적으로 존재하는 생명과 사랑 안에서 몸이 생겨나고 죽습니다.

[1-9-1-18 『완역 성리대전』]

'原始要終, 故知生死之說', 此申'無極而太極', '太極本無極'之理, 使人知
生死本非二事. … 橫渠曰, '物之初生, 氣日至而滋息, 物之既盈, 氣日反而游
散. 至之謂神, 以其伸也, 反之謂鬼, 以其歸也', 此之謂夫.

(면재 황씨가 말했다.) "'시원을 탐구하며 끝을 살핀다. 그러므로 생
사의 이치를 안다.'는 '무극이면서 태극이다.'와 '태극은 본래 무극이다.'
의 리를 거듭 밝혀서 사람들에게 삶과 죽음이 본래 두 가지가 아니라는
것을 알게 하였다. … 횡거가 '물건이 처음 나서는 기가 매일 와서 불어
나고, 물건이 이미 다 차면 기는 매일 되돌아가 흩어진다. 오는 것을 신
이라고 하는 것은 퍼지기 때문이고, 되돌아가는 것을 귀라고 하는 것은
돌아가기 때문이다.'라고 말한 것은 이것을 말함이다!"

"리를 거듭 밝혀서 사람들에게 삶과 죽음이 본래 두 가지가 아니라는
것을 알게 하였다."라고 했습니다. 삶과 죽음이 서로 다른 것이 아닙니
다. 생명과 사랑 속에 있습니다. "리를 거듭 밝혀서"라고 말한 부분이
매우 중요합니다. 리에 근거하여 하는 말입니다. 그렇기 때문에 '理'
를 아는 것이 매우 중요합니다.

[1-9-1-21 『완역 성리대전』]

又云, 人能原始知得生理, 便能要終知得死理. 若不明得, 便雖千萬般安排
著, 亦不濟事.

(정자가) 또 말했다. '사람이 시작을 탐구하여 사는 리를 알 수 있으
면 바로 끝을 살펴서 죽는 리를 알 수 있다. 만약 명백히 알지 못하면
곧 천만 가지로 궁리하더라도 역시 성공할 수 없다.'

생사(生死)를 관통하는 것이 理입니다. 즉, 태극에 고유한 속성인

생명과 사랑이 몸의 생김과 놀이를 일관합니다. 그러므로 몸의 생김에 나아가 태극을 이해하고, 그것으로 몸의 놀이를 이해하면, 우리는 오직 영원무한의 생명과 사랑 안에서 영원무한의 생명과 사랑으로 생겨나고 놀이한다는 것을 알 수 있습니다.

5장. '大哉易也'에 관하여
대 재 역 야

大哉易也! 斯其至矣.

    역(易)은 변화를 뜻합니다. 여기에서 말하는 변화는 당연히 몸의 순간 변화입니다. 감정과학은 몸의 순간 변화를 감정으로 정의합니다. 여기에서 보면, '易'은 사실상 '감정'입니다. 그렇기 때문에 주역은 감정에 대한 타당한 인식을 추구하는 학문이며, 이 학문의 진실을 주돈이는 『태극도』를 통해서 시각적으로 밝혔습니다. 모든 몸의 무한한 변화는 영원으로부터 영원에 이르는 영원의 필연성 안에서 태극을 본성으로 갖기 때문에 학문의 핵심은 그 모든 몸의 순간 변화에 나아가 그에 고유한 본성으로 존재하는 태극을 이해하는 것입니다. 이 이해로부터 우리는 다 좋은 감정으로 살아가는 다 좋은 세상을 누리는 행복을 받습니다. 마땅히 우리가 누려야 하는 행복을 학문을 통해서 필연적으로 누리게 됩니다. 감정을 배우는 易學(역학)이 위대한 이유가 여기에 있습니다. 이 학문을 추구하는 학문이 성리학의 감정과학입니다.